THE NORMAN KINGS

BY T A DOREY AND

ALLISON LEON

KENNETH MASON

LONDON

norman kings

CONTENTS

FIRST PUBLISHED 1964 BY
KENNETH MASON PUBLICATIONS LTD
26 GROSVENOR GARDENS MEWS NORTH LONDON SW1
ALL RIGHTS RESERVED
COPYRIGHT © T A DOREY AND ALLISON LEON 1964
SET IN 10/11 POINT BASKERVILLE AND
PRINTED IN GREAT BRITAIN BY
THE CENTRAL PRESS (ABERDEEN) LIMITED

INTRODUCTION

THIS BOOK *is intended for use in the sixth forms of schools and in universities, both by students of medieval history and by the ever-increasing number of people who are taking an interest in medieval latin literature. The selections chosen cover an important period of history of nearly a hundred years, and contain accounts of some of the most significant events of that period. The authors from whom these selections are taken were all alive during the period covered by this book, and in some cases had personal knowledge of the incidents and persons described. They were not mere chroniclers, but men of wide education, often with a high sense of historical accuracy or literary presentation. It is hoped that this book, if it does nothing else, will stimulate interest in the latin literature of the middle ages.*

Sometimes a page of medieval latin will read like classical latin; at other times we may be horrified by the apparent oblivion of the writer to one or other of the golden rules of classical syntax, or confused by unfamiliar words or unusual spellings, not to mention the use of classical latin words with new or somewhat altered meanings. Yet these very differences in syntax and vocabulary remind us that in the middle ages latin was a living language.

On the whole, where medieval latin moves away from its classical counterpart, it is in the direction of the usage of the modern romance languages. The long periodic sentence gives way to a series of shorter and more abrupt ones. The rigid accusative and infinitive construction in indirect statement is often replaced by the use of 'quod' or 'quia' with the indicative. Gerund and gerundive used to express obligation tend to disappear, and instead there is an idiom by which 'debeo' and 'facio' are used with the infinitive to express 'have to' and 'cause to', corresponding very closely to the modern french use of 'devoir' and 'faire'. The use of tenses is much looser than in classical latin, and there is often little distinction between the use of the indicative and the subjunctive.

Nearer modern usage, too, is the addition of prepositions to make the meaning of a case more specific, and the employment of the personal pronoun without any special emphatic force. Often, too, there is no distinction between the use of 'se' and 'eum' or 'suus' and 'eius', while 'ille' is frequently made to serve as a definite article. With adjectives and adverbs, the distinction between positive, comparative, and superlative is often blurred.

The spelling of familiar nouns is sometimes strange, though this does not normally make them unrecognisable. 'Carus', for example, may become 'charus', 'nihil', 'nichil', and 'mihi', 'michi'. These changes generally reflect changes in pronunciation. Many words will have acquired new meanings. 'Comes' 'miles' and 'dux', meaning 'count', 'knight' and 'duke' respectively, are good examples. Classical words may also bear a specialised meaning when used in an ecclesiastical context, eg, 'pontifex' for 'pope', 'oratio' for 'prayer', and 'saeculum' for 'the world'. It sometimes happens, too, that a rare classical word may become more popular than its more familiar counterpart, eg, 'caballus' and 'caballarius' for 'equus' and 'eques' (cf. modern spanish 'caballo', french 'chevalier', and, of course, 'cavalier').

Medieval latin has a wider range of vocabulary than classical latin, being rich in new words drawn from colloquial and ecclesiastical latin, greek, hebrew, or from the tongues of the barbarian invaders. It also makes more use of abstract nouns than is generally the case in classical latin.

A more detailed account of the characteristics of medieval latin grammar and syntax can be found in Beeson's 'Primer of medieval latin'.

We wish to express our thanks to Professor H Cronne, of Birmingham University, for his advice and encouragement.

T A DOREY AND ALLISON LEON

University of Birmingham

AUGUST 1963

CHAPTER ONE

The Conquest

ONE of the most important duties of a monarch is to leave an acceptable heir. Edward the Confessor died childless; he had promised his kingdom to his cousin William of Normandy, but on his death-bed he bequeathed it to his brother-in-law Harold Godwinson. Edward was half-Norman by birth, and throughout his reign there had been a struggle between his Norman favourites and the national English party led by Earl Godwin. Even before Edward's accession, Godwin had started a family feud with the Norman ducal house by his murder of Edward's brother Alfred, when Alfred, as one of the surviving sons of Ethelred the Unready and Emma of Normandy, had come to claim the vacant English throne.

THE REASONS FOR THE CONQUEST

1 Ferox dolique commentor Goduinus eo tempore comes in Anglia potentissimus erat, et magnam regni Anglorum partem fortiter tenebat, quam ex parentum nobilitate, seu vi vel fraudulentia vendicaverat. Edwardus itaque, metuens tanti viri potentia laedi dolove solito, Normannorum consultu, quorum fido vigebat solatio indignam Alvredi, fratris sui, perniciem ei benigniter indulsit, ac, ut inter eos firmus amor jugiter maneret, Aeditham, filiam ejus uxorem nomine tenus duxit. Nam revera, ut dicunt, ambo perpetuam virginitatem conservarunt. Edwardus nempe rex vir bonus erat et humilis, mitis, jocundus et longanimis, amator Dei fidelis, et sanctae Ecclesiae defensor invincibilis, clemens pauperum tutor, et Anglicarum legum legitimus restitutor. Multoties divina mysteria vidit, et vaticinia, quae rerum eventu postmodum comprobata sunt, deprompsit, regnumque Anglorum fere viginti tribus annis feliciter rexit.

ORDERIC VITALIS

2 Edwardus quoque, Anglorum rex, disponente Deo, successione prolis carens, olim miserat duci Rodbertum, Cantuariorum archipraesulem, ex regno sibi a Deo attributo illum statuens heredem. Sed et Heroldum postmodum illi destinavit, cunctorum suae dominationis comitum divitiis, honore et potentia maximum, ut ei de sua corona fidelitatem faceret, ac christiano more sacramentis firmaret. Qui, dum ob hoc negotium venire contenderet, velificato freto ponti, Pontivum appulit, ubi in manus Widonis, Abbatisvillae comitis, incidit. Quem idem comes cum suis confestim in custodiam trusit. Quod ut dux comperit, missis legatis, violenter illum extorsit. Quem aliquandiu secum moratum, facta fidelitate de regno plurimis sacramentis, cum muneribus multis regi remisit.

Denique rex Edwardus, completo termino felicis vitae, sub anno millesimo sexagesimo quinto Dominicae incarnationis e saeculo migravit. Cujus regnum Heroldus continuo invasit, ex fidelitate pejeratus, quam juraverat duci. Ad quem dux legatos protinus direxit, hortans ut ab hac insania resipisceret, et fidem quam juramento spoponderat servaret. Sed ille hoc non solum audire contempsit, verum omnem ab illo Anglorum gentem infideliter avertit.

WILLIAM OF JUMIEGES

3 Millesimo sexagesimo sexto anno gratiae, perfecit Dominator Dominus de gente Anglorum quod diu cogitaverat: genti namque Normannorum asperae et callidae tradidit eos ad exterminandum. Enimvero cum basilica S. Petri apud Westminster dedicata esset in die Sanctorum Innocentium, et postea in vigilia Epiphaniae rex Edwardus mundo decessisset, et sepultus esset in eadem ecclesia, quam ipse construxerat et possessionibus multis ditaverat, quidam Anglorum Eadgar Atheling promovere volebant in regem. Haraldus vero, viribus et genere fretus, regni diadema invasit. Willelmus vero dux Normanniae tribus de causis mente stimulatus et intrinsecus irritatus est. Primo, quia Alfredum cognatum suum Godwinus et filii sui dehonestaverant et peremerant: secundo, quia Robertum episcopum et Odonem consulem et omnes Francos Godwinus et filii sui arte sua ab Anglia exulaverant: tertio, quod Haraldus in perjurium prolapsus, regnum quod jure cognationis suum esse debuerat, sine aliquo jure invaserat. Principes vero Normannorum convocans, auxilium Angliae conquirendae ab eis petiit. Quibus ad se consiliandos euntibus, Willelmus filius Osberti dapifer ducis interfuit: qui gravissimum iter ad Angliam capessendam gentemque Anglorum fortissimam perhibens, contra paucissimos in Angliam ire volentes acerrime litigavit: quod audientes proceres, valde gavisi, fidem dederunt ei, ut quod ipse diceret omnes concederent. Ingressus igitur ante eos coram duce, dixit: 'Paratus sum in hac expeditione cum omnibus meis devote proficisci.' Oportuit ergo omnes Normannorum principes verbum ejus prosequi.

HENRY OF HUNTINGDON

THE BATTLE OF SENLAC

4 Considerans itaque princeps Willelmus, regio diademate jure coronandus, Heroldum cotidie viribus roborari, classem ad tria milia navium festinanter constructam in Pontivo apud Sanctum Walericum in anchoris stare fecit, plenam tam valentibus equis quam hominibus robustissimis, cum loricis et galeis. Inde vero, vento flante secundo, velis in sublime pansis, trans mare Penevesellum appulit, ubi statim firmissimo vallo castrum condidit. Quod militibus committens, festinus Hastingas venit, ibique cito opere aliud firmavit. Quem Heroldus incautum accelerans praeoccupare, contracta Anglorum innumera multitudine, tota nocte equitans, in campo belli mane apparuit.

5 Dux vero, nocturnos praecavens excursus hostis, inchoantibus tenebris, ad gratissimam usque lucem exercitum jussit esse in armis. Facto autem diluculo, legionibus militum in tribus ordinibus dispositis, horrendo hosti intrepidus obviam processit. Cum quo sub hora diei tertia committens bellum, in caedibus morientium usque ad noctem protraxit. Heroldus etiam ipse in primo* militum congressu occubuit vulneribus letaliter confossus. Comperientes itaque Angli regem suum mortem oppetiisse, de sua diffidentes salute, jam nocte imminente, versa facie, subsidium appetierunt fugae.

(* *This is contradicted by other accounts*)

6 Fortissimus igitur dux, ab inimicorum strage reversus, nocte media, ad campum belli est regressus. Mane autem illuscescente, spoliis hostium distractis, et corporibus suorum carorum sepultis, iter arripuit, quod Lundoniam tendit. Referuntur enim in hoc conflictu pugnae multa Anglorum milia corruisse, Christo illis vicem reddente, ob Alveredi, fratris Edwardi regis, necem ab eis injuste perpetratam. Denique felicissimus atque consilio praecipue munitus belli ductor, callem conficiens, ad Warengeforth divertit urbem, transmeatoque vado fluvii, legiones ibi castra metari jussit. Inde vero profectus, Lundoniam est agressus. Ubi praecursores milites venientes in platea urbis plurimos invenerunt rebelles, resistere toto conamine decertantes. Cum quibus protinus congressi, non minimum luctum intulerunt urbi, ob filiorum ac civium suorum funera plurima. Videntes demum Lundonii se diutius contra stare non posse, datis obsidibus, se suaque omnia nobilissimo victori suo, hereditario domino, supposuere. Quo triumpho inter tanta pericula eo ordine confecto dux noster inclitarum virtutum, et quem nostri praeconia stili minime sufficiunt aequare, in die Natalis Domini, ab omnibus tam Normannorum quam Anglorum proceribus rex electus, sacro oleo ab episcopis regni delibutus, ac regali diademate coronatus, sub millesimo sexagesimo sexto ab incarnatione Domini anno.

WILLIAM OF JUMIEGES

ANOTHER VERSION:
WILLIAM AS AN EPIC HERO

7 Spirante dein aura expectata, voces cum manibus in caelum gratificantes, ac simul tumultus invicem incitans tollitur; terra quam properantissime deseritur, dubium iter quam cupientissime initur. Eo namque celeritatis motu impelluntur, ut cum armigerum hic, socium inclamet ille, plerique immemores clientum, aut sociorum, aut rerum necessariarum, id solum ne relinquantur, cogitant ac festinant. Increpat tamen atque urget in puppes ardens vehementia ducis, si quos ullatenus moram nectere notat.

Verum ne prius luce littus quo intendunt attingentes, iniqua et minus nota statione periclitentur, dat praeconis voce edictum, ut cum in altum sint deductae, paululum noctis conquiescant non longe a sua rates cunctae in anchoris fluitantes, donec in ejus mali summo lampade conspecta, extemplo buccinae clangorem cursus accipiant signum.

Memorat antiqua Graecia Atridem Agamemnona fraternos thalamos ultum ivisse mille navibus; protestamur nos Guillelmum diadema regium requisisse pluribus. Xerxem fabulatur illa Seston et Abidon ponto disjunctas urbes navium ponte conjunxisse. Guillelmum nos revera propagamus, uno clavo suae potestatis Normannici soli et Anglici amplitudinem copulavisse. Guillelmum, qui a nullo unquam superatus patriam inclytis ornavit trophaeis, clarissimis locupletavit triumphis, superiore hostis manu devicto Xerxi et sine classe aequandum, ac fortitudine anteponendum censemus.

Solutis noctu post quietem navibus, vehens ducem retro ceteras agillime reliquit, ardentius ad victoriam properantis imperio suae velocitatis parilitate quasi obtemperans. Jussus mane remex mali ab alto num quae veniant consequae speculari, praeter pelagus et aera prospectui suo aliud nihil comparere indicat. Confestim anchora jacta, ne metus atque moeror comitem turbam confunderet, abundans prandium nec baccho pigmentato carens animosissimus dux, acsi in coenaculo domestico, memorabili cum hilaritate accepit; cunctos actutum affore promittens, Deo, cujus eos tutelae credidit, adducente. Non indignum duceret Mantuanus poetarum princeps laudibus Aeneae Trojani, qui priscae Romae ut parens gloria fuit, securitatem atque intentionem hujus mensae inserere. Inquisitus denuo speculator, naves quatuor advenire, tertio tantas exclamat, ut arborum veliferarum uberrima densitas nemoris praestet similitudinem. Quo proinde spes ducis gaudio sit mutata, quam ex intimo corde divinam glorificaverit pietatem, conjiciendum cuivis relinquimus.

* * * * *

WILLIAM LANDS AND PROCEEDS TO HASTINGS

8 Interea exploratum directi jussu probatissimi equites, hostem adesse citi nuntiant. Accelerabat enim eo magis rex furibundus, quod propinqua castris Normannorum vastari audierat. Nocturno etiam incursu aut repentino minus cautos opprimere cogitabat.

Et ne perfugio abirent, classe armata ad septingentas naves in mari opposuerat insidias. Dux propere quotquot in castris inventi sunt (pleraque enim sociorum pars eo die pabulatum ierat) omnes jubet armari. Ipse mysterio missae quam maxima cum devotione assistens, corporis ac sanguinis domini communicatione suum et corpus et animam munivit. Appendit etiam humili collo suo reliquias, quarum favorem Heraldus abalienaverat sibi, violata fide quam super eas jurando sanxerat. Aderant comitati e Normannia duo pontifices: Odo Baiocensis et Goisfredus Constantinus; una multus clerus et monachi nonnulli. Id collegium precibus pugnare disponitur. Terreret alium loricae, dum vestiretur, sinistra conversio. Hanc conversionem risit ille ut casum, non ut mali prodigium expavit.

9 Exhortationem, qua pro tempore breviter militum virtuti plurimum alacritatis addidit, egregiam fuisse non dubitamus; etsi nobis non ex tota dignitate sua relatam. Commonuit Normannos, quod in multis atque magnis periculis victores tamen se duce semper extiterint. Commonuit omnes patriae suae, nobilium gestorum, magnique nominis. Nunc probandum esse manu, qua virtute polleant, quem gerant animum. Jam non id agi, quis regnans vivat, sed quis periculum imminens cum vita evadat. Si more virorum pugnent, victoriam, decus, divitias habituros. Alioquin aut ocius trucidari, aut captos ludibrio fore hostibus crudelissimis. Ad hoc ignominia sempiterna infamatum iri. Ad effugium nullam viam patere, cum hic arma et inimica ignotaque regio obsistant, illinc pontus et arma. Non decere viros multitudine terreri. Saepenumero Anglos hostili ferro dejectos cecidisse, plerumque superatos in hostis venisse deditionem, nunquam gloria militiae laudatos. Imperitos bellandi strenua virtute paucorum facile posse conteri, praesertim cum justae causae praesidium caeleste non desit. Audeant modo, nequaquam cedant, triumpho citius gavisuros fore.

10 Hac autem commodissima ordinatione progreditur, vexillo praevio quod apostolicus transmiserat. Pedites in fronte locavit, sagittis armatos et balistis, item pedites in ordine secundo firmiores et loricatos; ultimo turmas equitum, quorum ipse fuit in medio cum firmissimo robore, unde in omnem partem consuleret manu et voce. Scribens Heraldi agmen illud veterum aliquis, in ejus transitu flumina epotata, silvas in planum redactas fuisse memoraret. Maximae enim ex omnibus regionibus copiae Anglorum convenerant. Studium pars Heraldo, cuncti patriae praestabant, quam contra extraneos, tametsi non juste, defensare volebant, Copiosa quoque auxilia miserat eis cognata terra Danorum. Non tamen audentes cum Guillelmo ex aequo confligere, plus eum quam regem Noricorum extimentes, locum editiorem praeoccupavere, montem silvae per quam advenere vicinum. Protinus equorum ope relicta, cuncti pedites constitere densius conglobati. Dux cum suis neque loci territus asperitate, ardua clivi sensim ascendit.

11 Terribilis clangor lituorum pugnae signa cecinit utrinque. Normannorum alacris audacia pugnae principium dedit. Taliter cum oratores in judicio litem agunt de rapina, prior ferit dictione qui crimen intendit. Pedites itaque Normanni propius accedentes provocant Anglos, missilibus in eos vulnera dirigunt atque necem. Illi contra fortiter, quo quisque valet ingenio, resistunt. Jactant cuspides ac diversorum generum tela, saevissimas quasque secures, et lignis imposita saxa. Iis, veluti mole letifera, statim nostros obrui putares. Subveniunt equites, et qui posteriores fuere fiunt primi. Pudet eminus pugnare, gladiis rem gerere audent. Altissimus clamor, hinc Normannicus, illinc barbaricus, armorum sonitu et gemitu morientium superatur. Sic aliquandiu summa vi certatur ab utrisque. Angli nimium adjuvantur superioris loci opportunitate, quem sine procursu tenent, et maxime conferti; ingenti quoque numerositate sua atque validissima corpulentia; praeterea pugnae instrumentis, quae facile per scuta vel alia tegmina viam inveniunt. Fortissime itaque sustinent vel propellunt ausos in se districtis ensibus impetum facere. Vulnernant et eos qui eminus in se jacula conjiciunt. Ecce igitur hac saevitia perterriti avertuntur pedites pariter atque equites Britanni, et quotquot auxiliares erant in sinistro cornu; cedit fere cuncta ducis acies, quod cum pace dictum sit Normannorum invictissimae nationis. Romanae majestatis exercitus, copias regum continens, vincere solitus terra marique, fugit aliquando, cum ducem suum sciret aut crederet occisum. Credidere Normanni ducem ac dominum suum cecidisse. Non ergo nimis pudenda fuga cessere; minime vero dolenda, cum plurimum juverit.

12 Princeps namque prospiciens multam partem adversae stationis prosiluisse, et insequi terga suorum, fugientibus occurrit et obstitit, verberans aut minans hasta. Nudato insuper capite detractaque galea exclamans: 'Me,' inquit, 'circumspicite. Vivo et vincam, opitulante Deo. Quae vobis dementia fugam suadet? Quae via patebit ad effugiendum? Quos ut pecora mactare potestis, depellunt vos et occidunt. Victoriam deseritis, ac perpetuum honorem; in exitium curritis ac perpetuum opprobrium. Abeundo, mortem nullus vestrum evadet.' His dictis receperunt animos.

Primus ipse procurrit fulminans ense, stravit adversam gentem, quae sibi, regi suo, rebellans commeruit mortem. Exardentes Normanni et circumvenientes aliquot millia insecuta se, momento deleverunt ea, ut ne quidem unus superesset.

13 Ita confirmati, vehementius immanitatem exercitus invaserunt, qui maximum detrimentum passus non videbatur minor. Angli confidenter totis viribus oppugnabant, id maxime laborantes, ne quem aditum irrumpere volentibus aperirent. Ob nimiam densitatem eorum labi vix potuerunt interempti. Patuerunt tamen in eos viae incisae per diversas partes fortissimorum militum ferro. Institerunt eis Cenomanni, Francigenae, Britanni, Aquitani, sed cum praecipua virtute Normanni. Tiro quidam Normannus Rodbertus, Rogerii de Bellomonte filius, Hugonis de Mellento comitis ex Adelina sorore nepos et haeres, praelium illo die primum experiens, egit quod aeternandum esset laude: cum legione, quam in dextro cornu duxit, irruens ac sternens magna cum audacia. Non est nostrae facultatis, nec permittit intentio nostra, singulorum fortia facta pro merito narrare. Copia dicendi valentissimus, qui bellum illud suis oculis didicerit, difficillime singula quaeque persequeretur. At huc nos illo properamus, ut finita Guillelmi comitis laude, Guillelmi regis gloriam scribamus.

14 Animadvertentes Normanni sociaque turba, non absque nimio sui incommodo hostem tantum simul resistentem superari posse: terga dederunt, fugam ex industria simulantes. Meminerunt quam optatae rei paulo ante fuga dederit occasionem. Barbaris cum spe victoriae ingens laetitia exorta est. Sese cohortantes exultante clamore nostros maledictis increpabant, et minabantur cunctos illico ruituros esse. Ausa sunt ut superius aliquot millia quasi volante cursu, quos fugere putabant, urgere. Normanni repente regiratis equis interceptos et inclusos undique mactaverunt, nullum relinquentes.

15 Bis eo dolo simili eventu usi, reliquos majori cum alacritate aggressi sunt: aciem adhuc horrendam, et quam difficillimum erat circumvenire. Fit deinde insoliti generis pugna, quam altera pars incursibus et diversis motibus agit, altera velut humo affixa tolerat. Languent Angli, et quasi reatum ipso defectu confitentes, vindictam patiuntur. Sagittant, feriunt, perfodiunt Normanni: mortui plus dum cadunt, quam vivi, moveri videntur. Leviter sauciatos non permittit evadere, sed comprimendo necat sociorum densitas. Ita felicitas pro Guillelmo triumpho maturando cucurrit.

16 Interfuerunt huic praelio Eustachius Boloniae comes, Guillelmus Ricardi Ebroicensis comitis filius, Guillelmus de Guarenna, aliique quamplures militaris praestantiae fama celebratissimi et quorum nomina historiarum voluminibus inter bellicosissimos commendari deceat. Guillelmus vero, dux eorum, adeo praestabat eis fortitudine, quemadmodum prudentia, ut antiquis ducibus Graecorum sive Romanorum qui maxime scriptis laudantur, aliis merito sit praeferendus, aliis comparandus. Nobiliter duxit ille cohibens fugam, dans animos, periculi socius; saepius clamans ut venirent quam jubens ire. Unde liquido intelligitur virtutem illi praeviam pariter fecisse militibus iter et audaciam. Cor amisit absque vulnere pars hostium non modica, prospiciens hunc admirandum ac terribilem equitem. Equi tres ceciderunt sub eo confossi. Ter ille desiluit intrepidus, nec diu mors vectoris inulta remansit. Hic velocitas ejus, hic robur ejus videri potuit corporis et animi. Scuta, galeas, loricas, irato mucrone et moram dedignante penetravit; clypeo suo nonnullos collisit. Mirantes eum peditem sui milites, plerique confecti vulneribus, corde sunt redintegrati. Et nonnulli quos jam sanguis ac vires deficiunt, scutis innixi viriliter depugnant, aliqui voce et nutibus, cum aliud non valent, socios instignant, ne timide ducem sequantur, ne victoriam e manibus dimittant. Auxilio ipse multis atque saluti fuit.

17 Jam inclinato die haud dubie intellexit exercitus Englorum se stare contra Normannos diutius non valere. Noverunt se diminutos interitu multarum legionum; regem ipsum et fratres ejus, regnique primates nonnullos occubuisse; quotquot reliqui sunt prope viribus exhaustos; subsidium quod expectent nullum relictum. Viderunt Normannos non multum decrevisse peremptorum casu, et quasi virium incrementa pugnando sumerent, acrius quam in principio imminere; ducis eam saevitiam quae nulli contra stanti parceret; eam fortitudinem quae nisi victrix non quiesceret. In fugam itaque conversi quantocius abierunt, alii raptis equis, nonnulli pedites; pars per vias, plerique per avia. Multi silvestribus in abditis remanserunt cadavera, plures obfuerunt sequentibus per itinera collapsi. Normanni, licet ignari regionis, avide insequebantur, caedentes rea terga, imponentes manum ultimam secundo negotio. A mortuis etiam equorum ungulae supplicia sumpsere, dum cursus fieret super jacentes.

18 Rediit tamen fugientibus confidentia, nactis ad renovandum certamen maximam opportunitatem praerupti vallis et frequentium fossarum. Gens equidem illa natura semper in ferrum

prompta fuit, descendens ab antiqua Saxonum origine ferocissim-
orum hominum. Propulsi non fuissent, nisi fortissima vi urgente.
Regem Noricorum, magno exercitu fretum et bellicoso, quam
facile nuper vicerunt! Cernens autem felicium signorum ductor
cohortes inopinato collectas, quamvis noviter advenire subsidium
putaret, non flexit iter neque substitit, terribilior cum parte hastae
quam grandia spicula vibrantes, Eustachium comitem cum militibus quinquaginta aversum, et receptui signa canere volentem,
ne abiret virili voce compellavit. Ille contra familiariter in aurem
ducis reditum suasit, proximam ei, si pergeret, mortem praedicens.
Haec inter verba percussus Eustachius inter scapulas ictu sonoro,
cujus gravitatem statim sanguis demonstrabat naribus et ore, quasi
moribundus evasit ope comitum. Dux formidinem omnino dedignans aut dedecus, invadens protrivit adversarios. In eo congressu
Normannorum aliqui nobiliores ceciderunt, adversitate loci virtute eorum impedita.

19 Sic victoria consummata, ad aream belli regressus, reperit
stragem, quam non absque miseratione conspexit, tametsi factam
in impios; tametsi tyrannum occidere sit pulchrum, fama glorios-
um, beneficio gratum. Late solum operuit sordidatus in cruore flos
Anglicae nobilitatis atque juventutis. Propius regem fratres ejus
duo reperti sunt. Ipse carens omni decore, quibusdam signis, nequaquam facie, recognitus est, et in castra ducis delatus qui tumul-
andum eum Guillelmo agnomine Maletto concessit, non matri pro
corpore dilectae prolis auri par pondus offerenti. Scivit enim non
decere tali commercio aurum accipi. Aestimavit indignum fore ad
matris libitum sepeliri, cujus ob nimiam cupiditatem insepulti
remanerent innumerabiles. Dictum est illudendo, oportere situm
esse custodem littoris et pelagi, quae cum armis ante vesanus insedit. Nos tibi, Heralde, non insultamus, sed cum pio victore, tuam
ruinam lachrymato, miseramur et plangimus te.

WILLIAM OF POITIERS

CHAPTER TWO

The Conqueror

IN those wild and turbulent days, William knew that law and order could only be imposed upon the country by a policy of ruthless severity.

2

20 Willelmus rex anno xviii., quo in anno Urbanus effectus est papa Romanus, rediit a Normannia in Angliam, cum tanto exercitu, Francorum, Normannorum, Britannorum, quod mirum videbatur, quomodo haec terra pascere posset eos. Didicerat enim, fama crebrescente, quod rex Daciae Cnut et Robertus Frisiensis consul Flandriae volebant ditioni suae Angliam Martis aggressibus supponere. Cum autem apparatus eorum Deo volente defecisset, remisit magnas partes exercituum ad natale solum. Misit autem dehinc rex potentissimus justitiarios suos per unamquamque scyram, id est, provinciam Angliae, et inquirere fecit per jusjurandum quot hidae, id est, jugera uni aratro sufficientia per annum, essent in unaquaque villa, et quot animalia. Fecit etiam inquiri quid unaquaeque urbs, castellum, vicus, villa, flumen, palus, silva redderet per annum. Haec autem omnia in cartis scripta delata sunt ad regem, et in thesauros reposita usque hodie servantur. Eodem anno Mauricius effectus est episcopus Lundoniae, qui templum maximum quod necdum perfectum est incepit.

HENRY OF HUNTINGDON

THE MURDER OF THE BISHOP OF DURHAM

21 Miserabilis et infanda caedes Walkerii Dunelmensis episcopi, quem Northanhimbri populus, semper rebellioni deditus, abjecto sacrorum ordinum respectu, multis impetitum convitiis trucidarunt. Fusus ibi non paucus numerus Lotharingorum, quod praesul ipse nationis ejus erat. Causa caedis haec fuit: erat episcopus, praeter pontificatum, custos totius comitatus; praefeceratque rebus forensibus Gislebertum cognatum, interioribus Leobinum clericum, ambos in rebus commissis strenuos sed effraenes. Tolerabat episcopus eorum immodestiam, gratia strenuitatis inductus; et, quia eos elevarat, cumulum benignitatis augebat. Indulget enim natura sibi, placidoque favore suis arridet ipsa muneribus. Is Leobinus Liulfum, beatissimi Cuthberti ministrum, adeo dilectum ut ipse sanctus coram vigilanti assistens placita imperaret,—hunc, inquam, Liulfum per Gislebertum obtruncari fecit, livore ictus quod amplioris amicitiae locum apud pontificem, pro conscientia et aequitate judiciorum, haberet. Perculsus nuncio Walkerius, furenti parentelae defuncti legalis placiti judicium* opposuit, protestatus Leobinum suae suorumque necis auctorem. Ubi ventum ad placitum, nullis effera gens rationibus emolliri potuit quin in episcopum referret culpam, quod ambos homicidas in curia ejus post necem Liulfi familiariter diversatos vidissent. Surrectum ergo in clamores et iras; et Gislebertus de ecclesia, in qua cum episcopo sederat, ultro egrediens, ut suo periculo vitam domini mercaretur, impie occisus. Tum praesul, prae januis pacem praetento ramo offerens, rabiem vulgi explevit interemtus: fomes etiam mali Leobinus semiustulatus, quod nisi ecclesia cremata exire nolebat, exiliens mille lanceis exceptus est. Praedictum id ab Edgitha relicta regis Edwardi; nam cum olim Walkerium vidisset Wintoniae ad consecrandum duci, caesarie lacteolum, vultu roseum, statura praegrandem, 'Pulchrum hic,' ait, 'martyrem habemus,' conjectura videlicet immodestae nationis ad praesagiendum inducta. Successit ei Willelmus abbas sancti Carilefi, qui monachos in Dunelmo posuit.

(* *Compurgation, a sworn statement declaring his innocence*)

WILLIAM OF MALMESBURY

ANOTHER VERSION OF THE MURDER

22 Ut autem, qualiter nefanda episcopi caedes peracta sit, ex ordine retexatur, statuto die, quo et hi, scilicet milites antistitis qui fecerant injurias, et qui passi fuerant, in pacem redirent et concordiam, episcopus ipse cum suis ad locum qui Ad Caput Caprae dicitur, convenit, cui qui ultra Tinam habitaverant universi natu majores, cum infinita totius populi multitudine, in pessimum adunati consilium occurrerunt. Declinans episcopus tumultum, ecclesiolam ipsius loci intravit, ubi convocatis ad se populi primatibus, de utriusque partis utilitate ac mutua amicitia tractavit. Quo facto, episcopo cum paucissimis suorum in ecclesia remanente, omnes qui advocati fuerant, quasi consilio locuturi, egrediuntur; et post paululum, clamore tumultuantis turbae exorto, fit subito sine ullo humanitatis respectu miserabilis ubique caedes hominum. Alii namque milites episcopi, sparsim per loca sedentes vel jacentes, utpote nihil mali suspicantes, repente circundantes interficiunt. Alii ascendentes ecclesiam incendunt; alii evaginatis gladiis et vibrantibus hastis conglobatim ad ostium stantes, neminem vivum exire permittunt. Nam qui intus erant cum jam vim flammarum sustinere non possent, humiliter peccata confessi percepta benedictione cum jam egrederentur, in ipso egressu mox trucidabantur. Ultimus omnium restabat episcopus, graviores ipsa morte sustinens in corde dolores. Intolerabile illi fuit quod suos cum presbyteris et diaconibus ante se vidit extinctos; sciebat, quod nec sibi manus hostium parceret. Inter haec diversa mortis poena coartatur, ut quam magis eligat, ipse nesciat. Ignis cum ad arma hostium fugere compellebat, arma repellebant ad ignem. Mors dilata fuerat ei gravior poena; levamentum doloris videbatur ferre, quicquid mortem citius posset inferre. Cum ergo saevientium flammarum vires jam ulterius ferre nequivisset, precibus Deo animam commendans, ad ostium processit, factoque digitis e contra signo crucis, cum jam pallio quo erat indutus oculos et caput velaret, in ipso ostio, heu, proh dolor! lanceis confoditur, cui etiam mortuo crebra gladiis vulnera infliguntur. Tanta namque fuerat eorum bestialis crudelitas, ut nec eo mortuo satiari potuisset. Haec detestanda omnibus caedes antistitis, pridie Idus Maii feria quinta ante Rogationes facta est, peractis in episcopatu suo IX annis et duobus mensibus.

23 Cujus occisione audita, fratres Gyrwensis monasterii, ascendentes naviculam, ad locum navigarunt, et corpus patris sui et antistitis, vix propter vulnerum frequentiam agnitum, et penitus omni tegmine spoliatum, cum gravi luctu impositum navi ad monasterium detulerunt. Quod Dunhelmum inde perlatum, non eo quo pontificem decebat funeris obsequio sepulturae est traditum. Tota namque urbe discursantes illius interfectores furebant, statim enim post illam abominandam caedem illo advenerant, ut expugnato castello homines episcopi qui supererant perimerent. At his viriliter se defendentibus, illi non sine suorum detrimento frustrato labore oppugnantes fatigabantur. Quarto die obsidionis abscendentes, per diversa disperguntur, et universi quos nefanda caedes antistitis Deo et hominibus detestabiles fecerat, aut varia clade consumuntur, aut relictis domibus et possessionibus incertis profugi sedibus exules vagantur.

Nec mora; ea quae gesta fuerant fama ubique divulgante, Odo Baiocensis episcopus, qui tunc a rege secundus fuerat, et multi cum eo primates regni cum multa armatorum manu Dunhelmum venerunt, et, dum mortem episcopi ulciscerentur, terram pene totam in solitudinem redegerunt. Miseros indigenas, qui sua confisi innocentia domi resederant, plerosque ut noxios aut decollari, aut membrorum detruncatione praeceperunt debilitari. Nonnullis, ut salutem et vitam pretio redimerent, crimen falso imponebatur. Quaedam etiam ex ornamentis ecclesiae, inter quae et baculum pastoralem materia et arte mirandum, erat enim de saphiro factus, praefatus episcopus abstulit, qui, posito in castello militum praesidio, protinus abscessit.

SIMEON OF DURHAM

WILLIAM'S FAMILY

24 Filios habuit, Robertum, Ricardum, Willelmum, Henricum. Posteriores duo post eum successione continua in Anglia regnavere. Robertus, patre adhuc vivente, Normanniam sibi negari aegre ferens, in Italiam obstinatus abiit, ut, filia Bonifacii marchionis sumpta, patri partibus illis adjutus adversaretur: sed, petitionis hujusce cassus, Philippum Francorum regem contra patrem excitavit; quare et genitoris benedictione et haereditate frustratus, Anglia post mortem ejus caruit, comitatu Normanniae vix retento. Ea quoque post novem annos fratri Willelmo pro pecunia invadata, Asiaticam expeditionem cum caeteris Christianis aggressus est; inde, transactis quatuor annis, clarus militiae gestis regressus, Normanniae sine difficultate immersit, quod, germano Willelmo nuper defuncto, Henricus rex, novitate tener, Angliam in fide tenere satis habuit: sed quia de hoc alias dicendum, nunc coeptam de filiis Willelmi magni narrationem terminabo.

25 Ricardus magnanimo parenti spem laudis alebat, puer delicatus; ut id aetatulae pusio, altum quid spirans. Sed tantam primaevi floris indolem mors acerba cito depasta corrupit; tradunt cervos in Nova Foresta terebrantem, tabidi aeris nebula morbum incurrisse. Locus est quem Willelmus pater, subrutis ecclesiis, desertis villis, per triginta et eo amplius milliaria in saltus et lustra ferarum redegerat. Ibi libenter aevum exigere, ibi plurimis omitto quod diebus, certe mensibus, venationes exercere gaudebat. Ibi multa regio generi contigere infortunia, quae habitatorum praesens audire volentibus suggerit memoria: nam postmodum in eadem silva Willelmus filius ejus, et nepos Ricardus filius Roberti comitis Normanniae, mortem offenderunt; severo Dei judicio ille sagitta pectus, iste collum trajectus, vel, ut quidam dicunt, arboris ramusculo equo pertranseunte fauces appensus.

26 Filiae ipsius fuerunt quinque: Cecilia, Cadomensis abbatissa, vivit; altera, Constantia, comiti Brittanniae Alano Fergant in conjugium data, austeritate justitiae provinciales in mortiferam sibi potionem exacuit; tertia, Adala, Stephani Blesensis comitis uxor, laudatae in seculo potentiae virago, noviter apud Marcenniacum sanctimonialis habitum sumpsit. Duarum nomina exciderunt: unius, quae Haroldo (ut diximus) promissa, infra maturos conjugii annos obiit; alterius, quae Aldefonso Galliciae regi per nuncios jurata, virgineam mortem impetravit a Deo. Repertus in defunctae genibus callus, crebrarum ejus orationum index est.

27 Patris memoriam quantis poterat occasionibus extollens, ossa, olim Niceae condita, sub extremo vitae tempore per legatum transferebat; sed ille prospere rediens, audita morte Willelmi, apud Apuliam resedit, sepultis ibi illustris viri exuviis. Matrem quantum vixit insigni indulgentia dignatus est; quae, ante patris obitum, cuidam Herlewino de Comitisvilla, mediocrium opum viro, nupserat. Ex eo Willelmus fratres habuit: Robertum, quem comitem Moritonii fecit, crassi et hebetis ingenii hominem; Odonem, quem ad episcopatum Baiocensem provexit comes, comitem Cantiae rex instituit. Callidioris pectoris ille totius Angliae vicedominus sub rege fuit, post necem Willelmi filii Osberni. Itaque in aggerandis thesauris mirus, tergiversari mirae astutiae, pene papatum Romanum absens a civibus mercatus fuerat; peras peregrinorum epistolis et nummis infarciens. Cujus futuri itineris opinione cum certatim ex toto regno ad eum milites concurrerent, rex indigne ferens, compedibus irretivit; praefatus non se Baiocarum episcopum, sed comitem Cantiae prendere. Clientes ejus, minis impulsi, tantam auri copiam prodidere, ut nostri seculi aestimationem superaret fulvi congeries metalli; denique et cullei plures e fluviis extracti, quos per certa loca, sublatis consciis, infoderat, plenos auro molito. Post mortem fratris absolutus, nepotique Willelmo adversatus, partem Roberti fovebat; sed tunc quoque male cedente fortuna, extorris Anglia, Normannico nepoti et episcopatui insistebat. Deinde cum eodem Ierosolymitanam viam ingressus, Antiochiae, in obsidione Christianorum, finem habuit.

WILLIAM OF MALMESBURY

LANFRANC, LAWYER, THEOLOGIAN, PRIEST, AND STATESMAN, WAS ONE OF WILLIAM'S CLOSEST ADVISERS.

28 Is inter alios, immo prae aliis, erat memorato regi Willelmo acceptus, et Dei rebus in cunctis non mediocri cura intentus. Quapropter magno semper operam dabat, et regem Deo devotum efficere, et religionem morum bonorum in cunctis ordinibus hominum per totum regnum renovare. Nec privatus est desiderio suo. Multum enim illius instantia atque doctrina per totam terram illam religio aucta est, et ubique nova monasteriorum aedificia, sicut hodie apparet, constructa. Quorum aedificiorum constructoribus ipse primus exemplum praebens ecclesiam Christi Cantuariensem cum omnibus officinis quae infra murum ipsius curiae sunt, cum ipso muro aedificavit. Qua vero prudentia, et quo paternitatis officio monachos in eadem ecclesia consistentes a saeculari vita, in qua illos invenit plus aequo versari, erexerit, omnique sanctae conversationis tramite imbuerit, ac, multiplicato illorum numero, qua eos dum vixit benignitate confoverit, cui unquam ad plenum declarare possibile erit? Quos, ut interim alia taceam, quia sine penuria et sollicitudine Dei servitio semper intendere desiderabat, apud regem sua sagacitate et industria egit, quatinus fere omnes terras quas Normanni de jure ipsius ecclesiae cum primo terram cepissent invaserant, et etiam quasdam alias quae ante illorum introitum propter diversos casus perditae fuerant, ipsi ecclesiae redderet. Verum de his ac innumeris aliis bonis quibus insudando vitam consummavit, licet mihi quidem scribere opus non sit, propterea quod et opera ejus ita parent ut ipsa se evidentius scripto demonstrent, et ipsemet de rebus ecclesiasticis quae suo tempore gesta sunt veracissimo et compendioso calamo scripserit, tamen prae dulcedine memoriae ejus quae praelibavimus paucis explicare gratum duximus.

THE GENTLE AND SCHOLARLY ANSELM, TOO, WAS HIS INTIMATE FRIEND

29 Per idem tempus erat quidam abbas Becci, nomine Anselmus, vir equidem bonus et scientia litterarum magnifice pollens; contemplativae vitae totus intendebat. Hic toti Normanniae atque Franciae pro suae excellentis sanctitatis merito notus, carus et acceptus, magnae famae in Anglia quoque habebatur, ac regi praefato necne Lanfranco archiepiscopo sacratissima familiaritate copulabatur. Huic, cum nonnunquam pro diversis ecclesiae suae et aliorum negotiis ad curiam regis veniret, rex ipse, deposita feritate qua multis videbatur saevus et formidabilis, ita fiebat inclinus et affabilis, ut, ipso praesente, omnino quam esse solebat stupentibus cunctis fieret alius. Hunc itaque et Lanfrancum videlicet viros divina simul et humana prudentia fultos prae se magni semper habebat, et eos in omnibus quae sibi, quantum officii eorum referebat, agenda erant dulciori prae caeteris studio audiebat. Unde consilio illorum ab animi sui severitate in quosdam plurimum et saepe descendebat, et quatinus in sua dominatione ad observantiam religionis monasteria surgerent studiose operam dabat. Quae religio ne nata deficeret, procurabat ecclesiarum pacem quoque tueri, et eis quae in usus servientium Deo proficerent, in terris, in decimis, in aliis redditibus, ex suo largiri. Hac tamen benivolentia super ecclesias Normanniae propensius respiciebat.

30 Hic ergo Willelmus cum vicesimo primo regni sui anno in firmitate qua et mortuus est detentus apud Rotomagum fuisset, et se meritis ac intercessionibus Anselmi omnimodis commendare disposuisset, eum ad se de Becco venire et non longe a se fecit hospitari. Verum cum ei de salute animae suae loqui differret, eo quod infirmitatem suam paulum levigari sentiret, contigit ipsius patris corpus tanta invalitudine deprimi, ut curiae inquietudines nullo sustinere pacto valeret. Transito igitur Sequana, decubuit lecto in Ermentrudis villa, quae est contra Rotomagum in altera fluminis parte. Quicquid tamen deliciarum regi infirmo deferebatur, ab eo illarum medietas Anselmo infirmanti mittebatur. Veruntamen nec eum amplius in hac vita videre, nec ei ut proposuerat quicquam de anima sua loqui promeruit. Tanta enim infirmitas occupavit utrumque, ut nec Anselmus ad regem Willelmum, nec Willelmus pervenire posset ad abbatem Anselmum. Et quidem Willelmus ita mortuus est, non tamen, ut dicitur, inconfessus; atque Anselmus e vestigio est ab infirmitate relevatus, pristinaeque saluti post modicum redonatus.

EADMER

WILLIAM'S APPEARANCE AND HABITS

31 Justae fuit staturae, immensae corpulentiae, facie fera, fronte capillis nuda, roboris ingentis in lacertis, ut magno saepe spectaculo fuerit quod nemo ejus arcum tenderet, quem ipse admisso equo pedibus nervo extento sinuaret; magnae dignitatis sedens et stans, quanquam obesitas ventris nimis protensa corpus regium deformaret; commodae valetudinis, ut qui nunquam aliquo morbo periculoso praeter in extremo decubuerit; exercitio nemorum adeo deditus, ut (sicut praedixi) multa millia ejectis habitatoribus silvescere juberet, in quibus, a caeteris negotiis avocatus, animum remitteret. Convivia in praecipuis festivitatibus sumptuosa et magnifica inibat; Natale Domini apud Gloescestram, Pascha apud Wintoniam, Pentecosten apud Westmonasterium agens quotannis quibus in Anglia morari liceret: omnes eo cujuscunque professionis magnates regium edictum accersiebat, ut exterarum gentium legati speciem multitudinis apparatumque deliciarum mirarentur. Nec ullo tempore comior aut indulgendi facilior erat, ut qui advenerant largitatem ejus cum divitiis conquadrare ubique gentium jactitarent. Quem morem convivandi primus successor obstinate tenuit, secundus omisit.

32 Sola est de qua nonnihil culpetur pecuniae aggestio, quam undecunque captatis occasionibus, honestas modo et regia dignitate non inferiores posset dicere, congregabat. Sed excusabitur facile, quia novum regnum sine magna pecunia non posset regere. Non est hic aliquid aliud excusationis quod afferam, nisi quod quidam dixit, 'Necesse est ut multos timeat, quem multi timent.' Nam ille, pro timore inimicorum, provincias suas pecunia emungebat, qua impetus eorum vel tardaret vel etiam propelleret, persaepe, ut fit in rebus humanis, viribus cassatis fidem hostilem praemio pigneratus: regnat adhuc et indies augetur hujusce dedecoris calamitas, ut et villae et ecclesiae pensionibus supponantur; et ne hoc quidem perpetua exactorum fide, sed quicunque plus obtulerit, statim, pactis irritis prioribus, palmam habeat.

WILLIAM OF MALMESBURY

THE HARSHNESS OF NORMAN RULE

33 Anno vicesimo primo regni Willelmi regis, cum jam justam Domini voluntatem super Anglorum gentem Normanni complessent, nec jam vix aliquis princeps de progenie Anglorum esset in Anglia, sed omnes ad servitutem et ad moerorem redacti essent, ita etiam ut Anglicum vocari esset opprobrio, hujus auctor vindictae Willelmus vitam terminavit. Elegerat enim Deus Normannos ad Anglorum gentem exterminandam, quia praerogativa saevitiae singularis omnibus populis viderat eos praeminere. Natura siquidem eorum est ut, cum hostes suos adeo depresserint, ut adjicere non possint, ipsi se deprimant, et se terrasque suas in pauperiem et vastitatem redigant; semperque Normannorum domini, cum hostes contriverint, cum crudeliter non agere nequeant, suos etiam hostiliter conterunt. Quod scilicet in Normannia et Anglia, Apulia, Calabria, Sicilia, et Antiochia, terris quas eis Deus subjecit, magis magisque apparet. In Anglia igitur injusta telonea et pessimae consuetudines his temporibus pullulaverunt. Principes omnes auri et argenti cupiditate caecati adeo erant, ut illud de eis vere dici potuisset, Unde habeat nemo quaerit, sed oportet habere. Quanto magis loquebantur de recto, tanto major fiebat injuria. Qui justitiarii vocabulantur, caput erant omnis injustitiae. Vicecomites praepositi, quorum erat officium justitia et judicium, furibus et raptoribus atrociores erant, et omnibus saevissimis saeviores. Rex ipse cum ad firmam terras suas, quanto carius poterat, dedisset, alii magis offerenti, et deinde, alii, semper negligens pactum, et ad majora studens, dabat. Nec erat cura quanta injuria pauperibus a praepositis fieret. In hoc igitur anno pestes infirmitatis et famis Angliae Deus inmisit, ut qui febribus evaderet fame moreretur. Inmisit etiam tempestates et tonitrua, quibus multos hominum occidit, nec animalibus nec pecori pepercit.

WILLIAM'S CHARACTER AND ACHIEVEMENTS

34 Willelmus omnibus Normanniae consulibus fortior fuit, omnibus Anglorum regibus potentior fuit, omnibus praedecessoribus suis laude dignior fuit. Erat autem sapiens sed astutus, locuples sed cupidus, gloriosus sed famae deditus. Erat humilis Deo servientibus, durus sibi resistentibus. Posuerat namque consules et principes in carcerem; episcopos et abbates possessionibus suis privaverat; fratri proprio non pepercerat; nec erat qui resisteret. Auferebat potentissimis etiam auri et argenti millia, ad castella solus omnes fatigabat construenda. Si cervum caperent aut aprum, oculos eis evellebat, nec erat qui obmurmuraret. Amavit autem feras, tanquam pater esset earum; unde in silvis venationum quae vocantur Novesforest ecclesias et villas eradicari, gentem extirpari, et a feris fecit inhabitari. Cum autem raperet suis sua, non pro aliqua necessitate sed prae nimia cupiditate, in intimis cordium amaricabantur, et tabescebant. Ipse vero nihili pendebat iras eorum; sed oportebat omnibus obsequi regis nutui, si amore ejus vel pecunia vel terris vel vita vellent perfrui. Heu quanto dolore plangendum est, quod aliquis hominum, cum cinis et vermis sit, adeo superbiat, ut super omnes se solum mortis oblitus extollat. Regi quidem praefato Normannia haereditarie provenerat, Cenomanniam armis adquisierat, Britanniam sibi acclinem fecerat. Super Angliam solus totam regnaverat, ita quod nec ibi una sola hida inerat, de qua nesciret cujus esset, et quid valeret. Scotiam quoque sibi subjugaverat, Walliamque reverendus in suam acceperat. Pacis autem tantus auctor fuerat, quod puella auro onusta regnum Angliae pertransire posset impune.

HENRY OF HUNTINGDON

CHAPTER THREE

The untamed bull

WILLIAM II, *the Red King, was not the unmitigated monster portrayed by so many historians. Vicious, passionate, avaricious, and cruel he may have been, but he was also recklessly brave and impulsively generous.*

SHORTLY AFTER HIS ACCESSION, WILLIAM WAS INVOLVED IN A WAR WITH HIS BROTHER ROBERT OF NORMANDY, BUT HE OBTAINED PEACE BY A PROMISE TO HELP ROBERT CONQUER MAINE

35 Nec multo post rex mare transiit, ut fidem promissorum expleret. Ergo uterque dux ingentes moliebantur conatus ut Cenomannis invaderent: sed obstitit jam paratis, jamque profecturis, Henrici fratris minoris animositas, qui frenderet propter fratrum avaritiam; quod uterque possessiones paternas dividerent, et se omnium paene expertem non erubescerent. Itaque montem sancti Michaelis armatus insedit, et crebris excursibus obsidentem militiam germanorum contristavit. In ea obsidione praecluum specimen morum in rege et comite* apparuit; in altero mansuetudinis, in altero magnanimitatis. Utriusque exempli notas pro legentium notitia affigam.

(* *Robert of Normandy*)

36 Egressus rex tabernaculo, vidensque eminus hostes superbum inequitantes, solus in multos irruit, alacritate virtutis impatiens, simulque confidens nullum sibi ausurum obsistere: moxque occiso sub foeminibus deturbatus equo, quem eo die quindecim marcis argenti emerat, etiam per pedem diu tractus est; sed fides loricae obstitit ne laederetur. Jamque miles qui dejecerat manum ad capulum aptabat ut feriret, cum ille, periculo extremo territus, exclamat, 'Tolle, nebulo! rex Angliae sum!' Tremuit, nota voce jacentis, vulgus militum; statimque reverenter de terra levato equum alterum adducunt. Ille, non expectato ascensorio, sonipedem insiliens, omnesque circumstantes vivido perstringens oculo, 'Quis,' inquit, 'me dejecit?' Mussitantibus cunctis, miles audacis facti conscius non defuit patrocinio suo, dicens: 'Ego, qui te non putarem esse regem, sed militem.' Tum vero rex placidus, vultuque serenus, 'Per vultum,' ait, 'de Luca'* (sic enim jurabat,) 'meus a modo eris, et meo albo insertus laudabilis militiae praemia reportabis.' Macte animi, amplissime rex, quod tibi praeconium super hoc dicto rependam? A magni quondam Alexandri non degener gloria, qui Persam militem se a tergo ferire conatum, sed pro perfidia ensis spe sua frustratum, incolumem pro admiratione fortitudinis conservavit.

(*Probably *refers to an image of Christ at Luca, in Tuscany*)

37 Jam vero ut de mansuetudine comitis dicam. Cum obsidio eo usque processisset ut aqua deesset obsessis, misit Henricus nuncios comiti, qui eum de siti sua conveniant. Impium esse ut eum aqua arceant, quae esset communis mortalibus: aliter, si velit, virtutem experiatur; nec pugnet violentia elementorum, sed virtute militum. Tum ille, genuina mentis mollitie flexus, suos qua praetendebant laxius habere se jussit, ne frater siticulosus potu careret: quod cum relatum regi esset, ut semper calori pronus erat, comiti dixit, 'Belle scis actitare guerram, qui hostibus praebes aquae copiam; et quomodo eos domabimus si eis in pastu et in potu indulserimus?' At ille renidens illud come et merito famosum verbum emisit, 'Pape, dimitterem fratrem nostrum mori siti? et quem alium habebimus si eum amiserimus?' Ita rex, deridens mansueti hominis ingenium, resolvit praelium; infectaque re quam intenderat, quod eum Scottorum et Walensium tumultus vocabant, in regnum se cum ambobus fratribus recepit.

WILLIAM OF MALMESBURY

AFTER THE DEATH OF LANFRANC, WILLIAM SEIZED THE REVENUES OF CANTERBURY FOR HIMSELF, AND OFTEN DECLARED THAT HE HIMSELF, AND NO ONE ELSE, WOULD BE THE ARCHBISHOP

38 Haec illum dicentem e vestigio valida infirmitas corripuit et lecto deposuit, atque in dies crescendo ferme usque ad exhalationem spiritus egit. Quid plura? Omnes totius regni principes coeunt, episcopi, abbates, et quique nobiles, nihil praeter mortem ejus praestolantes. Suggeritur aegro de salute animae suae cogitare, carceres aperire, captivos dimittere, vinculatos solvere, repetendarum pecuniarum debita perdonare, ecclesias suo eatenus dominio servituti subactas, locatis pastoribus, libertati restituere; praecipueque ecclesiam Cantuariensem, 'cujus oppressionem,' inquiunt, 'totius in Anglia Christianitatis constat esse detestandam dejectionem.' Hac tempestate Anselmus, inscius horum, morabatur in quadam villa non longe a Glocestra ubi rex infirmabatur. Mandatum ergo illi est, quatinus sub omni festinatione ad regem veniat, ejusque obitum sui praesentia tueatur et muniat. Accelerat ipse venire, audito tali nuntio, et venit. Ingreditur ad regem; rogatur quid consilii salubrius morientis animae judicet. Exponi sibi primo postulat, quid, se absente, ab assistentibus aegro consultum sit. Audit, probat, et addit, 'Scriptum est, Incipite Domino in confessione! Unde videtur mihi ut primo de omnibus quae se contra Deum fecisse cognoscit puram confessionem faciat, et se omnia si convaluerit emendaturum sine fictione promittat, ac deinde quae consuluistis absque dilatione fieri jubeat.' Laudatur haec consilii summa, sibique hujus confessionis suscipiendae injungitur cura. Refertur ad notitiam regis quid saluti animae illius magis expedire Anselmus dixerit. Nec mora. Adquiescit ipse, et, corde compunctus, cuncta quae viri sententia tulit se facturum, necne totam vitam suam in mansuetudine et justitia amplius servaturum, pollicetur. Spondet in hoc fidem suam, et vades inter se et Deum facit episcopos suos, mittens qui hoc votum suum Deo super altare sua vice promittant. Scribitur edictum regioque sigillo firmatur, quatinus captivi quicunque sunt in omni dominatione sua relaxentur, omnia debita irrevocabiliter remittantur, omnes offensiones antehac perpetratae indulta remissione perpetuae oblivioni tradantur. Promittuntur insuper omni populo bonae et sanctae leges, inviolabilis observatio juris, injuriarum gravis et quae deterreat caeteros examinatio. Gaudetur a cunctis, benedicitur Deus in istis, obnixe oratur pro salute talis ac tanti regis.

39 Interea regi a bonis quibusque suadetur, quatinus communem totius regni matrem instituendo illi pastorem solvat a pristina viduitate. Consentit libens, ac in hoc animum suum versari fatetur. Quaeritur itaque, quis hoc honore fungi dignius posset. Sed, cunctis ad nutum regis pendentibus, praenuntiavit ipse, et concordi voce subsequitur acclamatio omnium, abbatem Anselmum tali honore dignissimum. Expavit Anselmus ad vocem, et expalluit. Cumque raperetur ad regem, ut per virgam pastoralem investituram archiepiscopatus de manu ejus susciperet, toto conamine restitit, idque multis obsistentibus causis nullatenus fieri posse asseruit.

* * * * *

ANSELM IS GIVEN TIME TO RECONSIDER, BUT STILL PERSISTS IN HIS REFUSAL

40 Rapiunt igitur hominem ad regem aegrotum, et pervicaciam ejus exponunt. Contristatus est rex paene ad suffusionem oculorum, et dixit ad eum, 'O Anselme, quid agis? Cur me poenis aeternis cruciandum tradis? Recordare, quaeso, fidelis amicitiae quam pater meus et mater mea erga te,* et per ipsam obsecro ne patiaris me filium eorum in corpore et anima simul perire. Certus enim sum quia peribo, si archiepiscopatum in meo dominio tenens vitam finiero. Succurre igitur mihi, succurre, domine pater; et suscipe pontificatum, pro cujus retentione nimis confundor, et vereor ne in aeternum plus confundar.' Compuncti sunt ex his verbis quique assistentium, et Anselmum se excusantem, et tantum onus nec tunc quidem subire volentem invadunt, tali cum quadam indignatione et conturbatione ipsi ingerentes, 'Quae dementia occupavit mentem tuam? Regem turbas, turbatum penitus necas, quandoquidem illum jam morientem obstinatia tua exacerbare non formidas. Nunc igitur scias quia omnes perturbationes, omnes oppressiones, omnia crimina quae deinceps Angliam prement tibi imputabuntur, si tu hodie per susceptionem curae pastoralis eis non obviaveris.' Inter has angustias positus, Anselmus vertit se ad duos monachos qui secum erant, Balduinum videlicet et Eustachium, dixitque illis, 'Ah, fratres mei, cur mihi non subvenitis?' Dixit hoc, ecce, coram Deo, quia non mentior, in tanta, sicut affirmare solebat, anxietate constitutus, ut, si ei tunc optio daretur, multo laetius, salva reverentia voluntatis Dei, mori eligeret, quam archiepiscopatus dignitate sublimari. Respondit itaque Balduinus, 'Si voluntas Dei est ut ita fiat, nos qui sumus qui voluntati Dei contradicamus?' Quae verba lacrimae, et lacrimas sanguis ubertim mox e naribus illius profluens secutus est, palam cunctis ostendens ex qua cordis contritione cum lacrimis verba prodierint. Audito hujuscemodi responso Anselmus, 'Vae, quam cito,' inquit, 'baculus tuus confractus est.' Sentiens ergo rex quod incassum labor omnium expendebatur, praecepit ut omnes ei ad pedes caderent, si forte vel ita ad consentiendum illici posset. Sed quid? Cadentibus illis, cecidit et ipse coram eis nec a prima sententia sua cadere voluit. At illi animati in eum, seque ipsos pro mora quam objectionibus ipsius intendendo passi sunt ignaviae redarguentes, 'Virgam huc pastoralem, virgam,' clamitant, 'pastoralem.' Et, arrepto brachio ejus dextro, alii renitentem trahere, alii impellere, lectoque jacentis coeperunt applicare. Rege autem ei baculum porrigente, manum contra clausit, et eum suscipere nequaquam consensit. Episcopi vero digitos ejus strictim volae infixos erigere conati sunt, quo vel sic manui ejus baculus ingereretur. Verum cum in hoc conatum suum aliquandiu frustra expenderent, et ipse pro sua quam patiebatur laesione verba dolentis ederet, tandem, indice levato sed protinus ab eo reflexo, clausae manui ejus baculus appositus est, et episcoporum manibus cum eadem manu compressus atque retentus. Acclamante autem multitudine, 'Vivat episcopus, vivat,' episcopi cum clero sublimi voce hymnum, 'Te Deum laudamus,' decantare coepere, electumque pontificem portaverunt potius quam duxerunt in vicinam ecclesiam, ipso modis quibus poterat resistente atque dicente, 'Nihil est quod facitis; nihil est quod facitis.' Gestis vero quae in tali causa geri in ecclesia mos est revertitur Anselmus ad regem, dicens illi, 'Dico tibi, domine rex, quia ex hac tua infirmitate non morieris, ac per hoc volo noveris quoniam bene corrigere poteris quod de me nunc actum est, quia nec concessi nec concedo ut ratum sit.' His dictis, reflexo gressu discessit ab eo. Deducentibus autem eum episcopis cum tota regni nobilitate, cubiculo excessit. Conversusque ad eos in haec verba sciscitatus est, 'Intelligitis quid molimini? Indomitum taurum et vetulam ac debilem ovem in aratro conjungere sub uno jugo disponitis. Et quid inde proveniet? Indomabilis utque feritas tauri sic ovem, lanae, lactis et agnorum fertilem, per spinas ac tribulos hac et illac raptum, si jugo se non excusserit, dilacerabit, ut nec ipsa sibi nec alicui, dum nihil horum ministrare valebit, utilis existat. Quid ita? Inconsiderate ovem tauro copulastis. Aratrum ecclesiam perpendite juxta apostolum dicentem, Dei agricultura estis, Dei aedificatio estis. Hoc aratrum in Anglia duo boves caeteris praecellentes regendo trahunt et trahendo regunt, rex videlicet et archiepiscopus Cantuariensis, iste saeculari justitia et imperio, ille divina doctrina et magisterio. Horum boum unus, scilicet Lanfrancus archiepiscopus, mortuus est, et alius ferocitatem indomabilis tauri obtinens jam juvenis aratro praelatus; et vos loco mortui bovis me vetulam ac debilem ovem cum indomito tauro conjungere vultis?' Haec dicens ac erumpentibus lacrimis dolorem cordis dissimulare non valens, ad hospitium suum, dimissa curia, vadit. Acta sunt haec anno Dominicae Incarnationis millesimo nonagesimo tertio, pridie Nonas Martii, prima Dominica quadragesimae. Praecepit itaque rex ut sine dilatione ac diminutione investiretur de omnibus ad archiepiscopatum pertinentibus intus et extra, atque ut civitas Cantuaria, quam Lanfrancus suo tempore in beneficio a rege tenebat, et abbatia Sancti Albani, quam non solum Lanfrancus sed et antecessores ejus habuisse noscuntur, in alodium ecclesiae Christi Cantuariensis pro redemptione animae suae perpetuo jure transirent.

(* Supply verb 'habuerunt')

*   *   *   *   *

ANSELM RECEIVES A LETTER FROM THE ABBEY OF BEC, EXCUSING HIM FROM HIS DUTIES THERE

41 Cum igitur Anselmus, secundum quod praelibavimus, litteras a Normannia destinatas suscepisset, et rex de Dofris a colloquio Roberti comitis Flandriae Rovecestram, ubi tunc ipse Anselmus erat, venisset, in secretum locum Anselmus regem tulit eumque taliter allocutus est, 'In utroque dubius pendet adhuc, domine mi rex, animus meus, utrum videlicet adquiescam pontificatum suscipere, annon. Verum si me ad susceptionem illius ratio perduxerit, volo brevi praenoscas quid velim mihi facias. Volo equidem ut omnes terras quas ecclesia Cantuariensis, ad quam regendam electus sum, tempore beatae memoriae Lanfranci archiepiscopi tenebat, sine omni placito et controversia ipsi ecclesiae restituas, et de aliis terris quas eadem ecclesia ante suum tempus habebat, sed perditas nondum recuperavit, mihi rectitudinem judiciumque consentias. Ad haec, volo ut in iis quae ad Deum et Christianitatem pertinent te meo prae caeteris consilio credas, ac, sicut ego te volo terrenum habere dominum et defensorem, ita et tu me spiritualem habeas patrem et animae tuae provisorem. De Romano quoque pontifice Urbano, quem pro apostolico hucusque non recepisti, et ego jam recepi atque recipio eique debitam oboedientiam et subjectionem exhibere volo, cautum te facio, nequid scandalum inde oriatur in futuro. De his, quaeso, tuae voluntatis sententiam edicito, ut, ea cognita, certior fiam quo me vertam.' Rex itaque, vocato ad se Willelmo Dunelmensi episcopo, et Roberto comite de Mellento, jussit ut eis praesentibus quae dixerat iteraret. Fecit ille imperata, et rex sibi per consilium ita respondit, 'Terras de quibus ecclesia saisita quidem fuerat sub Lanfranco, omnes eo quo tunc erant tibi modo restituam; sed de illis quas sub ipso non habebat, in praesenti nullum tecum conventionem instituo; veruntamen de his et aliis credam tibi sicut debebo.' Finierat rex in istis, et ab invicem discesserunt.

42 Deinde, paucis diebus interpositis, rex ipse consensum quem a Normannis super Anselmo, juxta quod praefati sumus, expetierat, per epistolas accepit. Et veniens in villam suam quae Windlesora vocatur, Anselmum per se suosque convenit, quatinus et secundum totius regni de eo factam electionem pontifex fieri ultra non negaret, et terras ecclesiae quas ipse rex, defuncto Lanfranco, suis dederat, pro statuto servitio illis ipsis haereditario jure tenendas, causa sui amoris condonaret. Sed Anselmus, nolens ecclesiam quam necdum re aliqua investierat expoliare, terras ut petebatur nullo voluit pacto concedere; et, ob hoc orto inter eum et regem discidio, quod primum quoque de pontificatu ejus agebatur indefinitum remansit. Unde Anselmus oppido laetatus est, sperans se hac occasione a praelationis onere per Dei gratiam exonerandum. Jam enim cum virga pastorali curam quam super Beccum abbas susceperat, pro descripta superius absolutione, ipsi Becco restituerat; et nunc, eo quod terras ecclesiae injuria dare nolebat, episcopalis officii onus sese laetus evasisse videbat. Verum cum, decurso non exiguo tempore, clamorem omnium de ecclesiarum destructione conquerentium rex amplius ferre nequiret, virum ad se Wintoniae, adunato ibi conventu nobilium, venire fecit, ac multis bonis et ecclesiae Dei profuturis promissionibus illectum primatum ecclesiae Anglorum suscipere suasit atque persuasit. Ille igitur, more et exemplo praedecessoris sui inductus, pro usu terrae homo regis factus est, et sicut Lanfrancus suo tempore fuerat, de toto archiepiscopatu saisisi jussus.

EADMER

THE SIEGE OF NICAEA, IN THE FIRST CRUSADE

43 Ad portam igitur orientalem consederat dux Normanniae Robertus, juxta quem consul Flandriae; ad portam borealem dux Buamundus, juxta quem Tancredus; ad occidentalem dux Godefridus, juxta quem Podiensis episcopus. Turba autem innumerabilis erat, Angliae, Normanniae, Britanniae, Aquitaniae, Hispaniae, Provinciae, Franciae, Flandriae, Daciae, Saxoniae, Alemanniae, Italiae, Greciae, et regionum multarum. Non perlustraverunt radii solares a prima sui creatione tantam tam praeclaram militiam, tam verendam, tam numerosam turbam, tot et tam bellicosos duces. Cesset Troia, cessent Thebae, duces et principes destructionis suae, ut excusentur, nominare. Hic affuerunt electissimi omnium temporum, filii fulgentes Occidentis, omnes signo crucis insigniti, omnes in regnis suis reliquorum fortissimi. Igitur in die Ascensionis Domini lituis undique concinentibus urbs aggressa est. Repletur coelum clamoribus, nigrescit aer sagittis, mugit terra pro pulsibus, resonant aquae stridoribus, venitur ad murum, fossoribus res agitur. Paganis non sagittae, non tela, non ligna, non lapides, non fragmenta, non moles, non aqua, non ignis, non ars, non vires, non prosunt missilia amentata. Cum ecce Turcorum exercitus acie terribilis ordinata, ex australi regione vexillis erectis apparuit. Quibus consul Reimundus et Podiensis episcopus, divina virtute protecti et armis terrenis fulgidi, cum suo laetantes occurrunt exercitu. Dum igitur nostri vehementer irruunt in illos, horrore insperato liquefacti Domino jubente dissolvuntur. Magna quidem pars fugientium capitibus minorata est, quae fundis in urbem projecta non modicum contulerunt inhabitantibus tremorem. Igitur inaestimabiliter exterriti nostris urbem reddunt.

HENRY OF HUNTINGDON

WILLIAM'S CHARACTER

44 Excellebat in eo magnanimitas, quam ipse processu temporis nimia severitate obfuscavit; ita in ejus furtim pectus vitia pro virtutibus serpebant ut discernere nequiret. Diu dubitavit mundus quo tandem vergeret, quo se inclinaret, indoles illius. Inter initia, vivente Lanfranco archiepiscopo, ab omni crimine abhorrebat, ut unicum fore regum speculum speraretur; quo defuncto, aliquandiu varium se praestitit aequali lance vitiorum atque virtutum: jam vero, postremis annis bonorum gelante studio, incommodorum seges succrescens incaluit. Et erat ita liberalis quod prodigus, ita magnanimus quod superbus, ita severus quod saevus. Liceat enim mihi, pace majestatis regiae, verum non occuluisse; quia iste parum Deum reverebatur, nihil homines. Erat is foris et in conventu hominum tumido vultu erectus, minaci oculo astantem defigens, et affectato rigore feroci voce colloquentem reverberans; quantum conjectari datur, metu inopiae et aliorum perfidiae plus justo lucris et severitati deditus. Intus et in triclinio cum privatis, omni lenitate accommodus, multa joco transigebat; facetissimus quoque de aliquo suo perperam facto cavillator, ut invidiam facti dilueret et ad sales transferret. Sed de liberalitate ejus qua se ipsum fallebat, post etiam de caeteris, sermo prolixior erit, ut ostendam quanta vitia in eo sub praetextu virtutum pullularint.

45 Sunt enim duo omnino genera largorum; alteri prodigi, alteri liberales dicuntur. Prodigi sunt, qui in ea pecunias suas effundunt quorum memoriam aut brevem aut nullam omnino sunt relicturi in saeculo, nec eleemosynam habituri in Deo: liberales sunt, qui captos a praedonibus redimunt, aut inopes sublevant, aut aes alienum amicorum suscipiunt. Est ergo largiendum, sed diligenter et moderate; plures enim patrimonia sua effudere inconsulte largiendo: quid vero est stultius quam, quod libenter facias, curare ne diutius facere possis? Itaque quidam, cum non habeant quod dent, ad rapinas convertuntur; majusque odium assequuntur ab his quibus auferunt, quam beneficium ab his quibus contulerunt: quod huic regi accidisse dolemus. Namque cum primis initiis regni metu turbarum milites congregasset, nihil illis denegandum putabat, majora in futurum pollicitus. Itaque quia paternos thesauros evacuarat impigre, et modicae ei pensiones numerabantur, jam substantia defecerat; sed animus largiendi non deerat, quod usu donandi paene in naturam verterat: homo qui nesciret cujuscunque rei effringere pretium vel aestimare commercium, sed cui pro libito venditor distraheret mercimonium, et miles pacisceretur stipendium. Vestium suarum pretium in immensum extolli volebat, dedignans si quis alleviasset. Denique quodam mane, cum calciaretur novas caligas, interrogavit cubicularium quanti constitissent: cum ille respondisset tres solidos, indignabundus et fremens, 'Fili,' ait, 'meretricis! ex quo habet rex caligas tam exilis pretii? vade, et affer mihi emptas marca argenti.' Ivit ille, et multo viliores afferens, quanti praeceperat emptas ementitus est. 'Atqui,' inquit rex, 'istae regiae conveniunt majestati.' Ita cubicularius ex eo pretium vestimentorum ejus pro voluntate numerabat, multa perinde suis utilitatibus nundinatus.

46 Excitabat ergo totum occidentem fama largitatis ejus orientem usque pertendens: veniebant ad eum milites ex omni quae citra montes est provincia, quos ipse profusissimis expensis munerabat; itaque cum defecisset quod daret, inops et exhaustus ad lucra convertit animum. Accessit regiae menti, fomes cupiditatum, Rannulfus* clericus, ex infimo genere hominum lingua et calliditate provectus ad summum. Is, si quando edictum regium processisset ut nominatum tributum Anglia penderet, duplum adjiciebat, expilator divitum, exterminator pauperum, confiscator alienarum haereditatum. Invictus causidicus, et tum verbis tum rebus immodicus, juxta in supplices ut in rebelles furens. Hoc auctore sacri ecclesiarum honores, mortuis pastoribus, venum locati; namque audita morte cujuslibet episcopi vel abbatis, confestim clericus regis eo mittebatur, qui omnia inventa scripto exciperet, omnesque in posterum redditus fisco regio inferret. Interea quaerebatur quis in loco defuncti idoneus substitueretur, non pro morum sed pro nummorum experimento; dabaturque tandem honor, ut ita dicam, nudus, magno tamen emptus. Haec eo indigniora videbantur, quod, tempore patris, post decessum episcopi vel abbatis omnes redditus integre custodiebantur, substituendo pastori resignandi, eligebanturque personae religionis merito laudabiles: at vero, pauculis annis intercedentibus, omnia immutata. Nullus dives nisi nummularius, nullus clericus nisi causidicus, nullus presbyter nisi (ut verbo parum Latino utar) firmarius. Cujuscunque conditionis homunculus, cujuscunque criminis reus, statim ut de lucro regis appellasset, audiebatur; ab ipsis latronis faucibus resolvebatur laqueus si promisisset regale commodum. Soluta militari disciplina, curiales rusticorum substantias depascebantur, insumebant fortunas, a buccis miserorum cibos abstrahentes.

(* *Ralph Flambard, Bishop of Durham*)

* * * * *

47 Veruntamen sunt quaedam de rege praeclarae magnanimitatis exempla, quae posteris non invidebo. Venationi in quadam sylva intentum nuncius detinuit ex transmarinis partibus, obsessam esse civitatem Cenomannis, quam nuper fratre profecto suae potestati adjecerat. Statim ergo ut expeditus erat retorsit equuum, iter ad mare convertens. Admonentibus ducibus exercitum advocandum, paratos componendos, 'Videbo,' ait, 'quis me sequetur; putatis me non habiturum homines? si cognovi juventutem meam, etiam naufragio ad me venisse volet.' Hoc igitur modo paene solus ad mare pervenit. Erat tunc nubilus aer et ventus contrarius; flatus violentia terga maris verrebat. Illum statim transfretare volentem nautae exorant ut pacem pelagi et ventorum clementiam operiatur. 'Atqui,' inquit rex, 'nunquam audivi regem naufragio interiisse. Quin potius solvite retinacula navium, videbitis elementa jam conspirata in meum obsequium.' Ponto transito, obsessores, ejus audita fama, dissiliunt. Auctor turbarum, Helias quidam, capitur; cui ante se adducto rex ludibundus, 'Habeo te, magister!' dixit. At vero illius alta nobilitas, quae nesciret in tanto etiam periculo humilia sapere, humilia loqui: 'Fortuitu,' inquit, 'me cepisti; sed si possem evadere, novi quid facerem.' Tum Willelmus, prae furore fere extra se positus, et obuncans Heliam 'Tu,' inquit, 'nebulo! tu, quid faceres? Discede, abi, fuge! concedo tibi ut facias quicquid poteris: et, per vultum de Luca! nihil, si me viceris, pro hac venia tecum paciscar.' Nec inferius factum verbo fuit, sed continuo dimisit evadere, miratus potius quam insectatus fugientem. Quis talia de illiterato homine crederet? Et fortassis erit aliquis qui, Lucanum legens, falso opinetur Willelmum haec exempla de Julio Caesare mutuatum esse: sed non erat ei tantum studii vel otii ut literas unquam audiret; immo calor mentis ingenitus, et conscia virtus, eum talia exprimere cogebant. Et profecto, si Christianitas nostra pateretur, sicut olim anima Euforbii transisse dicta est in Pythagoram Samium, ita possit dici quod anima Julii Caesaris transierit in regem Willelmum.

HIS DEATH

48 Pridie quam excederet vita, vidit per quietem se phlebotomi ictu sanguinem emittere; radium cruoris in coelum usque protentum lucem obnubilare, diem interpolare. Ita, inclamata sancta Maria, somno excussus, lumen inferri praecepit, et cubicularios a se discedere vetuit. Tunc aliquot horis antelucanis nonnihil vigilatum. Paulo post, cum jam Aurora diem invehere meditaretur, monachus quidam transmarinus retulit Roberto filio Hamonis, viro magnatum principi, somnium quod eadem nocte de rege viderat, mirum et horrendum: Quod in quandam ecclesiam venerat, superbo gestu et insolenti, ut solebat, circumstantes despiciens. Tunc, crucifixum mordicus apprehendens, brachia illi corroserit, crura paene truncaverit. Crucifixum diu tolerasse, sed tandem pede ita regem depulisse ut supinus caderet: ex ore jacentis tam effusam flammam exisse, ut fumeorum voluminum orbes etiam sidera lamberent. Hoc somnium Robertus non negligendum arbitratus, regi confestim, quod ei a secretis erat, intulit: at ille cachinnos ingeminans, 'Monachus,' inquit, 'est, et causa nummorum monachaliter somniat; date ei centum solidos.' Multum tamen motus, diu cunctatus est an in sylvam sicut intenderat iret, suadentibus amicis ne suo dispendio veritatem somniorum experiretur. Itaque ante cibum venatu abstinuit, seriis negotiis cruditatem indomitae mentis eructuans; ferunt, ea die largiter epulatum, crebrioribus quam consueverat poculis frontem serenasse. Mox igitur post cibum in saltum contendit, paucis comitatus; quorum familiarissimus erat Walterius cognomento Tirel, qui de Francia, liberalitate regis adductus, venerat. Is, caeteris per morem venationis, quo quemque casus tulerat, dispersis, solus cum eo remanserat. Jamque Phoebo in oceanum proclivi, rex cervo ante se transeunti, extento nervo et emissa sagitta, non adeo saevum vulnus inflixit; diutile adhuc fugitantem vivacitate oculorum prosecutus, opposita contra violentiam solarium radiorum manu. Tunc Walterius pulchrum facinus animo parturiens, ut, rege alias interim intento, ipse alterum cervum qui forte propter transibat prosterneret, inscius et impotens regium pectus (Deus bone!) lethali arundine trajecit. Saucius ille nullum verbum emisit; sed ligno sagittae quantum extra corpus extabat effracto, moxque supra vulnus cadens, mortem acceleravit. Accurrit Walterius; sed, quia nec sensum nec vocem hausit, perniciter cornipedem insiliens, beneficio calcarium probe evasit. Nec vero fuit qui persequeretur, illis conniventibus, istis miserantibus, omnibus postremo alia molientibus; pars receptacula sua munire, pars furtivas praedas agere, pars regem novum jamjamque circumspicere. Pauci rusticanorum cadaver, in rheda caballaria compositum, Wintoniam in episcopatum devexere, cruore undatim per totam viam stillante. Ibi infra ambitum turris, multorum procerum conventu, paucorum planctu, terrae traditum. Secuta est posteriori anno ruina turris: de qua re quae opiniones fuerint parco dicere, ne videar nugis credere; praesertim cum, pro instabilitate operis, machina ruinam fecisse potuisset etiamsi nunquam ipse ibi sepultus fuisset.

WILLIAM OF MALMESBURY

THE EVILS OF HIS REIGN

49 Millesimo centesimo anno, rex Willelmus, XIII regni sui anno, vitam crudelem misero fine terminavit. Namque cum gloriose et patrio honore curiam tenuisset ad Natale apud Glouecestre, ad Pascha apud Wincestre, ad Pentecosten apud Londoniam, ivit venatum in Novo foresto in crastino kalendas Augusti, ubi Walterus Tyrel cum sagitta, cervo intendens, regem percussit inscius. Rex corde ictus corruit, nec verbum edidit. Paulo siquidem ante sanguis visus est ebullire a terra in Bercscyre. Jure autem in medio injustitiae suae praereptus est; ipse namque ultra hominem erat, et consilio pessimorum, quod semper eligebat, suis nequam, sibi nequissimus, vicinos werra, suos exercitibus frequentissimis et gildis continuis vexabat. Nec respirare poterat Anglia miserabiliter suffocata. Cum autem omnia raperent et subverterent qui regi famulabantur, ita ut adulteria etiam violenter et impune committerent, quicquid antea nequitiae pullulaverat, in perfectum excrevit, quicquid antea non fuerat, his temporibus pullulavit. Invisus namque rex nequissimus Deo et populo, episcopatus et abbatias aut vendebat, aut in manu sua retinens ad firmam dabat. Haeres autem omnium esse studebat; siquidem in die qua obiit in proprio habebat archiepiscopatum Cantuariae, et episcopatum Wincestriae, et Salesbiriae, et XI abbatias ad firmam datas. Postremo, quicquid Deo Deumque diligentibus displicebat, hoc regi regemque diligentibus placebat. Nec luxuriae scelus tacendum exercebant occulte, sed ex impudentia coram sole. Sepultus autem est in crastino perditionis suae apud Wincestre.

HENRY OF HUNTINGDON

CHAPTER FOUR

Beauclerc

Hᴇɴʀʏ ɪ *was a far better integrated character than his elder brother, and his long period of deprivation of his rights had made him calculating and determined.*

50 Sed enim ut ad Henricum regrediatur oratio. Erat ille in rebus suis providendo efficax, defendendo pertinax: bellorum quatenus posset cum honestate repressor; cum vero decrevisset non pati, impatiendus injuriarum exactor, obvia pericula virtutis umbone decutiens. Odii et amicitiae in quem libet tenax; in altero nimio irarum aestui, in altero regiae magnanimitati, satisfaciens; hostes videlicet ad miseriam deprimens, amicos et clientes ad invidiam efferens: nam et hanc curam vel primam vel maximam boni principis philosophia proponit, ut parcat subjectis, et debellet superbos.* Justitiae rigore inflexibilis, provinciales quiete, proceres dignanter continebat; fures et falsarios latentes maxima diligentia perscrutans, inventos puniens; parvarum quoque rerum non negligens. Cum nummos fractos, licet boni argenti, a venditoribus non recipi audisset, omnes vel frangi vel incidi praecepit. Mercatorum falsam ulnam castigavit; brachii sui mensura adhibita, omnibusque per Angliam proposita. Curialibus suis, ubicunque villarum esset, quantum a rusticis gratis accipere, quantum et quoto pretio emere debuissent, edixit; transgressores vel gravi pecuniarum mulcta, vel vitae dispendio, afficiens. Principio regni, ut terrore exempli reos inureret, ad membrorum detruncationem, post ad pecuniae solutionem proclivior; pro morum prudentia, ut fere fert natura mortalium, optimatibus venerabilis, provincialibus amabilis habebatur. Quod si qui majorum, jurati sacramenti immemores, a fidei tramite exorbitarent, continuo, et consiliorum efficacia et laborum perseverantia, erroneos revocabat ad lineam; per asperitatem vulnerum detrectantes reducens ad sanitatem animorum. Nec facile quam diuturnos sudores in talibus effuderit enumerem, dum nihil patitur inultum quod a delinquentibus commissum dignitati suae non esset consentaneum. Pugnarum erat maxima causa Normannia, ut ante dixi, in qua ipse pariter multis annis degens, Angliae quoque prospiciebat; nullo audente caput erigere dum ille audaciam, ille suspiceret prudentiam. Nec vero propter rebellionem aliquorum procerum unquam suorum appetitus est insidiis, nisi semel: auctor earum fuit quidam cubicularius, plebeii generis patre, sed pro regiorum thesaurorum custodia famosi nominis homine, natus: is deprehensus, et facile confessus, poenas perfidiae acriter luit. Praeter hoc tota vita securus, animos omnium timori, sermones amori obstrictos habebat.

(* *Vergil, Aeneid: VI 853*)

HIS APPEARANCE AND HABITS

51 Statura minimos supergrediens, a maximis vincebatur: crine nigro et juxta frontem profugo, oculis dulce serenis, thoroso pectore, carnoso corpore. Facetiarum pro tempore plenus; nec pro mole negotiorum, cum se communioni dedisset, minus jucundus. Minus pugnacis famae, Scipionis Africani dictum repraesentabat, 'Imperatorem me mea mater, non bellatorem, peperit.' Quapropter sapientia nulli unquam modernorum regum secundus, et paene dicam omnium antecessorum in Anglia facile primus, libentius bellabat consilio quam gladio: vincebat, si poterat, sanguine nullo; si aliter non poterat, pauco. Omnium tota vita omnino obscoenitatum cupidinearum expers, quoniam (ut a consciis accepimus) non effraeni voluptate, sed gignendae prolis amore, mulierum gremio infunderetur: effundens naturam ut dominus, non obtemperans libidini ut famulus. Cibis indifferenter utens, magisque explens esuriem, quam multis obsoniis urgens ingluviem; potui nunquam praeter sitim indulgens. Continentiae minimum excessum tum in suis tum in omnibus execrans. Somni gravis, et quem frequens roncatio interrumperet. Facultatis in dicendo magis fortuitae quam elaboratae; nec praecipitis, sed maturae.

WILLIAM OF MALMESBURY

CHAPTER FIVE

'When Christ and His Saints Slept'

Before his death, Henry I had appointed his daughter Matilda as his heir, and had exacted an oath of loyalty to her from all the nobles and clergy. But Matilda, widow of the Holy Roman Emperor and wife of the Count of Anjou, was an unpleasant, arrogant woman, while Stephen, Henry's nephew, was affable and generous. Relying on his personal popularity, Stephen seized the throne before any of Matilda's supporters were ready to oppose him. After four years, however, Stephen's weak rule had made him many enemies, and Matilda was able to invade England. Her chief supporter was her brother, Robert, Earl of Gloucester, eldest son of Henry I, but illegitimate. He was the one man who might have been accepted as king by the whole country, but he staunchly refused to betray the interests of his sister and nephew. Other supporters of Matilda were her uncle, King David of Scotland, her life-long friend Brian FitzCount, Lord of Wallingford, and Miles of Gloucester, later Earl of Hereford. Stephen's leading supporters were Waleran of Meulan, Alan of Brittany, and his own brother Henry of Blois, Bishop of Winchester. But most of the barons and churchmen, even the Bishop of Winchester, changed sides according to whichever party had the upper-hand at the moment. There were few pitched battles, but the countryside was devastated by protracted sieges and the people butchered by the foreign mercenaries.

ON THE DEATH OF HENRY I, STEPHEN HURRIED TO ENGLAND, WAS ACCEPTED AS KING, AND CROWNED

52 Venit enim sine mora Stephanus Theobaldi Blesensis consulis frater, junior eo, vir magnae strenuitatis et audaciae; et quamvis jurasset sacramentum fidelitatis Anglici regni filiae regis Henrici, fretus tamen vigore et impudentia, regni diadema Dominum tentans invasit. Willelmus Cantuariensis archiepiscopus, qui primus sacramentum filiae regis fecerat, eum, proh dolor! in regem benedixit, unde judicium illud Deus in eum statuit, quod sacerdoti magno Jeremiae percussori statuerat, scilicet ne post annum viveret. Rogerus magnus Saresbiriensis episcopus, qui secundus sacramentum illud praedictum fecerat, et omnibus aliis praedictaverat, diadema ei et vires auxilii sui contribuit; unde postea justo Dei judicio ab eodem quem creavit in regem captus et excruciatus miserandum sortitus est exterminum. Sed quid morer? omnes qui sacramentum juraverant, tam praesules quam consules et principes, assensum Stephano praebuerunt, et hominium fecerunt. Hoc vero signum malum fuit, quod tam repente omnis Anglia, sine mora, sine labore, quasi in ictu oculi ei subjecta est. Diadematus igitur curiam suam tenuit ad Natale apud Lundoniam.

HENRY OF HUNTINGDON

ROGER, BISHOP OF SALISBURY, AND HIS NEPHEWS, BISHOPS OF ELY AND LINCOLN, BEING SUSPECTED OF PLOTTING AGAINST STEPHEN, WERE SUMMONED TO A COUNCIL

53 Apud Oxenfordum circa octavum kalendas Iulii facto conventu magnatum, praedicti quoque pontifices advenerunt. Invitus valde Salesberiensis hanc expeditionem incepit. Audivi etenim eum dicentem verba in hanc sententiam: 'Per dominam meam sanctam Mariam, nescio quo pacto, reluctatur mens mea huic itineri! Hoc scio, quod eius utilitatis ero in curia, cuius est equinus pullus in pugna.' Ita praesagiebat animus mala futura. Tum, quasi fortuna videretur favere voluntati regis, concitatus est tumultus inter homines episcoporum et Alani comitis Britanniae pro vindicandis hospitiis: eventu miserabili ut homines episcopi Salesberiensis, mensae assidentes, semesis epulis ad pugnam prosilirent. Primo maledictis, mox gladiis res acta. Satellites Alani fugati, nepos eius paulo minus occisus: victoria non incruenta episcopalibus cessit, multis sauciatis, uno etiam milite interfecto. Rex occasione accepta, per antiquos incentores conveniri iussit episcopos ut curiae suae satisfacerent de hoc, quod homines eorum pacem ipsius exturbassent: modus satisfactionis foret, ut claves castellorum suorum quasi fidei vades traderent. Illos ad satisfaciendum paratos, sed de deditione castellorum cunctantes, ne abirent artius asservari praecepit. Ita Rogerium episcopum absque vinculis, cancellarium, qui nepos esse vel plusquam nepos eiusdem episcopi ferebatur, compeditum, duxit ad Divisas, si vel castellum recipere posset multis et vix numerabilibus sumptibus, non, ut ipse praesul dictitabat, ad ornamentum, set, ut se rei veritas habet, ad ecclesiae detrimentum, aedificatum. In ipsa obsessione castella Salesberiae, Sciresburniae, Malmesberiae regi data: ipsae Divisae post triduum redditae, cum sibi ultroneum ieiunium episcopus indixisset, ut hac angustia sua animum episcopi Eliensis, qui eas occupaverat, flecteret. Nec Alexander episcopus Lindocoliensis obstinatius egit, redditione castellorum Niwerh* et Eselfford† liberationem mercatus.

WILLIAM OF MALMESBURY

(* *Newark*   † *Sleaford*)

ANOTHER VERSION OF THE ARREST OF THE BISHOPS

54 Cum igitur episcopi cum summa, uti praemissum est, ambitione ad curiam convenissent, subito inter episcopales militesque regales exorta seditione, comite Mellonensi versuto cum quibusdam aliis instigatore, qui regiae partis coadiutores intererant, et illi praecipue quicumque factionis praefatae conscii videbantur, sumptis armis dispositisque agminibus, in episcoporum suffraganeos praecipitanter se impegerunt, istisque captis et illis interemptis, plurimis autem quaquaversum probrose effugatis omnibusque quae secum detulerant in hostium manu ubique relictis, ad regem tandem, quasi de inimicis triumphati, redierunt, consilioque malignantium in commune habito, ad episcopos, tanquam ad regiae maiestatis transgressores capiendos, facto grege maturarunt. Et illi quidem audita suorum probrosa dispersione, fugae, ut fama erat, consulebant, cum ecce regis satellites hospitia illorum armati subeuntes Salesbiriensemque et Lincolniensem episcopum reperientes omnibus quae aderant cum violentia distractis, ad regem velociter adduxerunt. Episcopus autem Eliensis, auditis quae contigerant, ut erat animi versutioris agilitatisque expeditioris, celerrime aufugit, et ad castellum avunculi sui, quod Divisa dicebatur, itinere sub festinatione protenso, ad obsistendum regi viriliter se accinxit. Audiens vero rex Eliensem episcopum adversum se arma sumpsisse, quae sibi prius dolose et aemulanter suggesta fuerant, vera

47

credebat, tantoque in episcopos vehementiori indignatione suc-
census, ad eorum possidenda municipia totus intendit. Veniens
itaque ad Divisas, quod erat Salesbiriensis episcopi castellum, mir-
ando artificio sed et munimine inexpugnabili firmatum, duos secum episcopos custodiis adhibitis stricte servatos adduxit, iussitque
ut locis ab invicem seclusi inhonestis, acribus macerarentur ieiu-
niis, summusque illius antigraphus, Salesbiriensis episcopi filius,
captus iam et vinculis mancipatus ante ipsum castelli introitum
alte suspenderetur, ni episcopus Eliensis, castello demum reddito,
regiam virtutem intus susciperet. Episcopi itaque nimia anxietate
afflicti animo maxime torquebantur, dum cunctis palam esset,
diversis se et suos ludibriis sed et vitae periculo exponendos, ni
municipia sua, quae summo studio construxerant, summo et amore
complectebantur, in regis deliberationem committerent. Amicorum
tamen consultu, qui, licet perrari, curiali frequentiae intererant,
fuit eis persuasum et fixe iniunctum, quatinus ex inhonesta, qua
detinebantur, custodia se subtrahentes, regis voluntati ex toto
satisfacerent; maxime cum ea, quae Caesaris sunt, Caesari sint
reddenda, et nulla commutatio pro anima sit ponenda.

GESTA STEPHANI

THE OPPOSITION AROUSED BY STEPHEN'S ARREST OF THE BISHOPS ENCOURAGED MATILDA AND ROBERT OF GLOUCESTER TO INVADE ENGLAND

55 Pridie vero kalendarum Octobrium comes Robertus, tandem nexus morarum eluctatus, cum sorore imperatrice invectus
est Angliae, fretus pietate Dei et fide legitimi sacramenti, ceterum
multo minore armorum apparatu quam quis alius tam periculo-
sum bellum aggredi temptaret; non enim plusquam centum quadraginta milites tunc secum adduxit. Testimonio veridicorum rela-
torum sermo meus nititur. Dicerem, nisi adulatio videretur, non
imparem fuisse illum Iulio Caesari dumtaxat animo, quem Titus
Livius commemorat quinque solum cohortes habuisse quando
civile bellum inchoavit; cum quibus, inquiens, orbem terrarum
adortus est. Quamvis iniqua comparatione Iulius et Robertus con-
ferantur: Iulius enim, verae fidei extorris, in fortuna sua, ut
dicebat, et legionum virtute spem reclinabat: Robertus, Christiana pietate insignis, in Sancti Spiritus et dominae sanctae Mariae
patrocinio totus pendulus erat. Ille in tota Gallia, et partim in
Germania et Britannia, fautores habens, omnem etiam Romanam
plebem, excepto senatu, muneribus sibi devinxerat: iste, praeter
paucissimos qui fidei quondam iuratae non immemores erant, in

Anglia optimates vel adversantes vel nihil adiuvantes expertus est. Appulit ergo Arundellum; ibique novercae suae,* quam, amissa matre imperatricis, ut praefatus sum, Henricus rex quondam lecto copulaverat, tuta, ut putabat, custodia sororem interim delegavit. Ipse per tam confertam barbariem, vixdum, ut audivi, duodecim militibus comitatus, Bristou contendit, occurrente sibi medio itineris Briano filio comitis ex Walengeford. Nec multo post cognovit sororem ex Arundello profectam; noverca enim feminea levitate fidem, totiens etiam missis in Normanniam nuntiis promissam, fefellerat. Dedit rex porro imperatrici Wintoniensis episcopi Henrici et comitis Mellentensis Walleranni conductum; quem cuilibet, quamvis infestissimo inimico, negare laudabilium militum mos non est. Et Wallerannus quidem ultra Calnam tendere supersedit, episcopo in conductu perseverante. Contractis ergo comes celeriter copiis ad metas a rege datas advenit, sororemque Bristou ad tutiora perduxit. Recepit illam postea in Gloecestram Milo, qui castellum eiusdem urbis sub comite habebat tempore regis Henrici, dato ei homagio et fidelitatis sacramento : nam eadem civitas caput est sui comitatus.

(* *Adela of Louvain*)

* * * * *

ROGER OF SALISBURY

56 Tertio idus Decembris Rogerius episcopus Salesberiae febrem quartanam, qua iamdudum quassabatur, beneficio mortis evasit: dolore animi aiunt eum contraxisse valitudinem, utpote tantis et tam crebris a rege Stephano pulsatum incommodis. Eum mihi videtur Deus exemplum divitibus pro volubilitate rerum exhibuisse, ne sperent in incerto divitiarum; quas quidam, ut ait apostolus, appetentes a fide naufragaverunt. Insinuatus est primo comiti Henrico, qui postmodum rex fuit, pro prudentia res domesticas administrandi, et luxum familiae cohibendi. Fuit enim Henricus ante regnum in expensis parci animi et frugi, penuria scilicet rei familiaris astrictus, fratribus Willelmo et Roberto arroganter eum tractantibus. Cuius cognitis moribus, Rogerius ita eum tempore inopiae demeruit, ut, cum ille solium regni ascendisset, nihil ei vel parum negaret quod ipse petendum putasset: largiri praedia, ecclesias, prebendas clericorum, abbatias integras monachorum, ipsum postremo regnum fidei eius committere: cancellarium initio regni, nec multo post episcopum Salesberiae, fecit. Rogerius ergo agebat causas, ipse moderabatur expensas, ipse servabat gazas; hoc quando rex erat in Anglia, hoc sine socio et teste quando, quod crebro et diu accidit, morabatur Normanniae. Nec solum a rege, set et ab optimatibus, ab his etiam quos felicitatis eius invidia clam mordebat, maximeque a ministris et tunc debitoribus regis, ei quaecumque paene cogitasset conferebantur. Si quid possessionibus eius contiguum erat quod suis utilitatibus conduceret, continuo vel prece vel pretio, sin minus, violentia, extorquebat. Ipse, singulari gloria, quantum nostra aetas reminisci potest, in domibus aedificandis, splendida per omnes possessiones suas construxit habitacula, in quibus solum tuendis successorum eius frustra laborabit opera; sedem suam mirificis ornamentis et aedificiis, citra ullam expensarum parsimoniam, in immensum extulit. Erat prorsus mirum videre de homine illo, quanta eum in omni genere dignitatum opum sequebatur copia, et quasi ad manum affluebat: quantula illa gloria (qua quid posset accidere maius?) quod duos nepotes, suae educationis opera honestae litteraturae et industriae viros, effecit episcopos; nec vero exilium episcopatuum, set Lindocoliensis et Heliensis, quibus opulentiores nescio si habeat Anglia. Sentiebat ipse quantum posset, et, aliquanto durius quam talem virum deceret, Divinitatis abutebatur indulgentia. Denique, sicut poeta quidam de quodam divite dicit:

'Diruit, aedificat, mutat quadrata rotundis:'* ita Rogerius abbatias in episcopatum, res episcopatus in abbatiam alterare conatus est. Malmesberiense et Abbadesberiense, antiquissima cenobia, quantum in ipso fuit, episcopatui delegavit: Scireburnensem prioratum, qui proprius est episcopi Salesberiensis, in abbatiam mutavit, abbatia de Hortuna proinde destructa et adiecta. Haec tempore regis Henrici, sub quo res eius, ut dixi, magnis successibus floruerunt: set enim sub Stephano rege, sicut praedixi, retro sublapsae sunt; nisi quod in initio regni eius nepotibus suis, uni cancellariam, alteri thesaurariam, sibi burgum Malmesberiae impetravit, subinde rege familiaribus suis ingeminante, 'Per nascentiam Dei! medietatem Angliae darem ei, si peteret, donec tempus pertranseat: ante deficiet ipse in petendo, quam ego in dando.' Posterioribus annis fortuna, nimium et ante diu ei blandita, ad extremum scorpiacea crudeliter hominem cauda percussit. Quale fuit illud, quod ante ora sua vidit homines bene de se meritos sauciari, familiarissimum militem obtruncari: postero die seipsum, ut supra fatus sum, et nepotes suos potentissimos episcopos, unum fugari, alterum teneri, tertium, dilectissimum sibi adolescentem, compendibus vinciri: post redditionem castellorum thesauros suos diripi, et se postmodum in concilio foedissimis conviciis proscindi: ad ultimum, cum apud Salesberiam paene anhelaret in exitum, quicquid residuum erat nummorum et vasorum, quod scilicet ad perficiendam ecclesiam super altare posuerat, se invito asportari. Extremum puto calamitatis, cuius etiam me miseret, quod, cum multis miser videretur, paucissimis erat miserabilis, tantum livoris et odii ex nimia potentia contraxerat, et immerito apud quosdam quos etiam honoribus auxerat.

(* Horace, Epistles 1. 1. 100)

WILLIAM OF MALMESBURY

AN INVASION OF ENGLAND BY KING DAVID OF SCOTLAND IS REPELLED AT THE BATTLE OF THE STANDARD

57 Rege igitur Stephano circa australes partes occupato, rex Scottorum innumerabilem coegit exercitum, non solum eos, qui ejus subjacebant imperio, sed et de insulanis et Orchadensibus non parvam multitudinem accersiens. Qui cum maxima superbia et ferocitate progrediens, omnem borealis Angliae partem aut sibi subdere, aut caede incendioque depopulari proposuit. Non latuit proceres Transhumbranos ejus adventus, qui hortatu maxime Walteri Espec, de quo postea dicemus, in unum convenientes, ejus conatui resistere decreverunt. Igitur parvum quidem numero, sed armis et viribus robustissimum, exercitum adunarunt, regiumque signum, quod vulgo Standard dicitur, in campo latissimo juxta Alvertonam* constituentes, illic hostes excipere decreverunt. Sed et Thurstinus Eboracensis archiepiscopus per totam diocesim suam edictum episcopale proposuit ut de singulis parochiis, suis presbyteris cum cruce et vexillis reliquiisque sanctorum praeuntibus, omnes qui possent ad bella procedere, ad proceres properarent, ecclesiam Christi contra barbaros defensuri. Erant itaque in australi exercitu primi principes Willelmus comes Albermarlensis, juvenis tunc strenuissimus et in armis multum exercitatus, habens secum, tam de Morinis quam de Ponciis, milites plurimos non minus astutia militari quam animi virtute praestantes; Walterus quoque de Gant, morti jam ultima senectute vicinus, vir mansuetus et pius, qui et ipse validissimam manum de Flandrensibus et Normannis adducens, tam sapientia quam pondere sermonum reliquam multitudinem plurimum animavit; Ilbertus sane de Laci non segnis nec cum paucis advolavit, qui tempore regis Henrici exulans, quanto fuerat laboribus aerumnisque assuefactus, tanto stabat in hac necessitate securus. Sed et Robertus de Brus, licet regem Scotiae plurimum dilexisset, gentibus tamen suis in hac necessitate non defuit, qui cum optimo juvene filio suo Adam tam validam manum adduxit, ut non solum viribus, sed et decore simul ac juventute, omnem multitudinem plurimum decorarent. Tantus autem fervor resistendi Scottis cunctos arripuit ut etiam Rogerum de Mulbrai, adhuc puerulum, exercitui interesse fecissent, tam decenter tamen ut tali aetati conveniebat, inter ceteros sapientissime collocatum. Cum quo universa terrae suae militia, quae profecto nec sapientia nec virtute nec numero ceteris videbatur inferior, cum tanta devotione convenit, ut minor aetas domini sui nullum exercitui videretur afferre dispendium. Affuit et Walterus Espec, vir senex et plenus dierum, acer ingenio, in consiliis prudens, in pace modestus, in bello providus; amicitiam sociis, fidem semper regibus servans. Erat ei statura ingens, membra omnia tantae magnitudinis, ut nec modum excederent et tantae proceritati congruerent. Capilli nigri, barba prolixa, frons patens et libera, oculi grandes et perspicaces, facies amplissima, tracticia tamen, vox tubae similis; facundiam, quae ei facilis erat, quadam soni majestate componens. Erat praeterea nobilis carne, sed Christiana pietate longe nobilior. Nempe cum liberis careret haeredibus, licet ei nepotes strenui non deessent, de optimis tamen quibusque possessionibus suis Christum fecit haeredem.

(* *Northallerton*)

*   *   *   *   *

THE SCOTTISH CONTINGENTS DISPUTE FOR THE PLACE OF HONOUR IN THE FRONT LINE

58 His dictis, cum rex militum magis consiliis adquiescere videretur, Malisse comes Stradarnae plurimum indignatus, 'Quid est,' inquit, 'o rex, quod Gallorum* te magis committis voluntati, cum nullus eorum cum armis suis me inermem sit hodie praecessurus in bello?' Quae verba Alanus de Perci, magni Alani filius nothus, miles strenuissimus et in militaribus negotiis probatissimus, aegre ferens, conversus ad comitem, 'Grande,' inquit, 'verbum locutus es, et quod hodie pro vita tua efficere non valebis.' Tunc rex utrosque compescens, ne tumultus hac altercatione subito nasceretur, Galwensium cessit voluntati. Alteram aciem filius regis et milites sagittariique cum eo, adjunctis sibi Cumbrensibus et Tevidalensibus, cum magna sagacitate constituit. Erat autem adolescens pulchra facie, et decorus aspectu, tantae humilitatis ut omnibus inferior videretur, tantae auctoritatis ut ab omnibus timeretur; tam dulcis, tam amabilis, tam affabilis, ut diligeretur ab omnibus; tam castus corpore, in sermone tam sobrius, in cunctis moribus tam honestus, tam assiduus in ecclesia, orationi tam intentus, tam benivolus circa pauperes, contra malefactores tam

(* *Men of Galway*)

erectus, sacerdotibus et monachis sic prostratus, ut et in rege monachum et in monacho regem praetendere videretur. Erat praeterea tantae probitatis, ut in illo exercitu nullus fuerit similis illi sive hostes impetendo, sive impetentes magnanimiter sustinendo, ceteris ad insequendum fortior, ad repellendum acrior, ad fugam tardior. Conjunxerat se ei, ejusque interfuit aciei, Eustachius filius Johannis, de magnis proceribus Angliae regi quondam Henrico familiarissimus, vir summae prudentiae et in secularibus negotiis magni consilii, qui a rege Anglorum ideo recesserat, quod ab eo in curia contra morem patrium captus, castra, quae ei rex Henricus commiserat, reddere compulsus est; ob quam causam offensus, ut illatam sibi ulcisceretur injuriam, ad hostes ejus sese contulerat. Tertium cuneum Laodonenses cum insulanis et Lavernanis fecerunt. Rex in sua acie Scottos et Muravenses retinuit; nonnullos etiam de militibus Anglis et Francis ad sui corporis custodiam deputavit. Et sic quidem aquilonalis ordinatur exercitus. At australes, quoniam pauci erant, in unum cuneum sapientissime glomerantur. Nam strenuissimi milites in prima fronte locati lancearios et sagittarios ita sibi inseruerunt, ut militaribus armis protecti, tanto acrius quanto securius vel in hostes irruerent, vel exciperent irruentes. At proceres, qui maturioris aetatis fuerunt, ut ceteris praesidio forent, circa signum regium constituuntur, quibusdam altius ceteris in ipsa machina collatis. Scutis scuta junguntur, lateribus latera conseruntur, laxatis vexillis eriguntur lanceae, ad solis splendorem loricae candescunt; sacerdotes sacris vestibus candidati, cum crucibus et reliquiis Sanctorum, exercitum ambiebant, et sermone simul et oratione populum decentissime roborabant. Tunc Robertus de Brus, vir grandaevus et magnarum opum, moribus gravis, sermone rarus, qui cum dignitate quadam et pondere loquebatur, qui, cum esset de jure regis Anglorum, a juventute tamen regi Scotiae adhaerens, ad maximam ejus familiaritatem profecerat—ipse igitur, ut vir veteranae militiae et talium negotiorum satis gnarus, naturali sagacitate periculum quod regi imminebat prospiciens, antiquae amicitiae intuitu, accepta a sociis licentia, regem adiit, aut bellum dissuasurus, aut ab eo more patrio legitime recessurus. Erat enim obligatus ei non solum amicitia, sed et fidei necessitate.

* * * * *

BRUCE SPEAKS TO THE KING AND URGES A TRUCE

59 His dictis lacrimis et singultibus interceptus est sermo loquentis. Et rex naturali pietate commotus in lacrimas solvebatur, jam jamque ibat in pactum. Sed Willelmus regius nepos, vir magni animi et belli praecipuus incentor, superveniens, ipsum Robertum cum maximo furore arguit proditionis, regemque a sententia flexit. At ille nihil moratus, vinculum fidei, quo eatenus regi astrictus fuerat, patrio more dissolvens, ad suos non sine magno dolore revertitur; et statim soluta statione erectis lanceis aquilonalis procedit exercitus. Sequitur lituum stridor, tubarum crepitus, fragor lancearum percutientium alteram ad alteram; tremit terra, fremit coelum, echo vincini montes collesque resultant. Interea episcopus Orchadensis, quem illo miserat archiepiscopus, stans in eminentiori loco, cum populo proeliandi necessitatem in remissionem peccatorum indixisset, tundentes pectora, erectis manibus divinum auxilium precabantur; factaque super eos absolutione, episcopus benedictionem sollemni voce adjecit, cunctis alta voce respondentibus Amen, Amen. At Galwensium cuneus more suo ter ululatum dirae vocis emittens, tanto impetu irruunt in australes, ut primos lancearios stationem deserere compellerent, sed vi militum iterum repulsi, in hostes animum viresque recipiunt. Ubi vero ferri lignique soliditate Scotticarum lancearum est delusa fragilitas, eductis gladiis cominus decertare temptabant. Sed australes muscae de cavernis pharetrarum ebullientes, et instar densissimae pluviae convolantes, et in obstantium pectora, vultum, oculos quoque importunius irruentes, conatum illorum plurimum retardabant. Videres ut hericium spinis, ita Galwensem sagittis undique circumsaeptum, nihilominus vibrare gladium, et caeca quadam amentia proruentem nunc hostem caedere, nunc inanem aerem cassis ictibus verberare. Et jamjam percussi pavore extremi quique dissolvebantur in fugam, cum inclitus adolescens filius regis, cum sua superveniens acie, in adversum sibi cornu leonina se feritate proripuit, ipsaque globi australis parte instar cassis araneae dissipata, obstantes quosque caedendo ultra regium signum progressus est, ratusque reliquum exercitum secutum iri, ut hostibus fugae praesidium tolleret, equorum stationem invasit, dissolvit, dispersit, ac retro usque ad duo stadia redire coegit. Hujus igitur admirabili impetu plebs inermis perterrita labebantur; sed prudentis cujusdam viri figmento, qui, caput unius occisi in altum erigens, regem clamabat occisum, revocati, vehementius solito irruunt in obstantes. Tunc Galwenses imbrem sagittarum, gladios militum ultra non ferentes fugam ineunt, occisis prius duobus eorum ducibus Wulgrico et Duuenaldo. Porro Laodensium cuneus, primum vix impetum expectans, statim dissolutus est. Tunc rex equo dissiliens, et proceres qui cum eo erant, adversus hostes processerunt. Sed Scotti ob ceterorum fugam pavidi ex omni parte regalis aciei fugere coeperunt, ita ut in brevi lapsis ceteris vix pauci circa regem persisterent. Procedit contra eos Anglorum exercitus, ipsum certe regem cum omnibus suis vel occisurus vel capturus, nisi milites regem, fugam omnimodis abjurantem, vi sublatum equo regredi compulissent. Tunc hi qui fugerant, videntes regale vexillum, quod ad similitudinem draconis figuratum facile agnoscebatur, reverti, scientes regem non cecidisse sed redire, ad ipsum reversi terribilem insequentibus cuneum creaverunt. Interea ille adolescentum decus, militum gloria, senum deliciae, filius regis, respiciens retro, vidit se cum paucis in mediis relictum hostibus, vertensque se ad unum de sociis et subridens: 'Fecimus,' inquit, 'quod potuimus, et certe quantum in nobis est vicimus. Nunc consilio non minus opus est quam virtute. Nec est aliud majus animi constantis indicium quam in adversa fortuna non frangi, et quando non potes viribus, consilio superes inimicum. Projectis itaque signis, quibus a ceteris dividimur, ipsis nos hostibus inseramus, quasi insequentes cum ipsis, donec praetergressi cunctos ad paternum cuneum, quem eminus video in suo vigore manentem cedere necessitati, quamtocius veniamus.' His dictis, sonipedem calcaribus urgens medios intersecat hostes, donec anteriores transgressus, mitiori incessu equum allevat. Et ut noveris quam securum in adversis et providum gesserit animum, ceteris militibus armorum onera ubiubi projicientibus, optimus juvenis laboris patiens sustinuit, donec ad pauperis cujusdam tugurium veniens, evocato pauperculo exuit se thorace, projiciensque ad pedes hominis, 'Accipe,' inquit, 'ut quod mihi est oneri, tuae consulat necessitati.' At rex jam longe processerat, jam ordinate terribiliter incedens ut, quosdam de insequentibus capiens, ceteros qui instabant plurimum deterreret; sicque ad Carleolum usque perveniens, ibi de se jam securus, sed de filio pavidus, per biduum nil aliud agens expectabat. Tertia tandem die diu desideratum sanum et incolumem filium recepit. Anglorum sane proceres diu insequentes innumerabiles tam Scottos quam Galwenses interfecerunt, de militibus vero multos ceperunt. De singulis autem partibus singuli milites corruerunt. Sane Anglorum duces omnes sani incolumesque reversi, et circa Walterum Espec, quem ducis et patris loco venerabantur, conglobati, inmensas gratias Deo Omnipotenti pro insperata victoria retulerunt.

AELRED OF RIEVAULX

THE SPEECH OF THE BISHOP OF THE ORKNEYS BEFORE THE BATTLE OF THE STANDARD

60 'Proceres Angliae, clarissimi Normannigenae meminisse enim vestri vos nominis et generis praeliaturos decet, perpendite qui, et contra quos, et ubi, bellum geratis. Vobis enim nemo impune restitit. Audax Francia vos experta delituit: ferox Anglia vobis capta succubuit, dives Apulia vos sortita refloruit, Jerusalem famosa, et insignis Antiochia, se vobis utraque supposuit. Nunc autem Scotia vobis rite subjecta repellere conatur; inermem praeferens temeritatem, rixae quam pugnae aptior; in quibus quidem nulla vel rei militaris scientia, vel praeliandi peritia, vel moderandi gratia. Nullus igitur verendi locus, sed potius verecundiae, quod hi quos semper in patria sua petivimus et vicimus, in patria nostra ritu transverso ebrii dementesque convolarunt. Quod tamen vobis ego praesul et archipraesulis vestri loco situs, divina providentia factum denuntio, ut hi qui in hac patria templa Dei violarunt, altaria cruentaverunt, presbyteros occiderunt, nec pueris nec pugnantibus pepercerunt, in eadem condignas sui facinoris luant poenas. Quod justissimum suae dispositionis arbitrium per manus vestras hodie perficiet Deus. Attollite igitur animos, viri elegantes, et adversus hostem nequissimum, freti virtute patria, immo Dei praesentia, exsurgite. Neque vos temeritas eorum moveat, cum illos tot nostrae virtutis insignia non deterreant. Illi nesciunt armari se in bello, vos in pace armis exercemini, ut in bello casus belli dubios non sentiatis. Tegitur nobis galea caput, lorica pectus, ocreis crura, totumque clipeo corpus; ubi feriat hostis non reperit, quem ferro septum circumspicit. Procedentes igitur adversus inermes et nudos quid dubitamus? an numerum? sed non tam numerus multorum quam virtus paucorum bellum conficit. Multitudo enim disciplinae insolens ipsa sibi est inpedimento in prosperis ad victoriam, in adversis ad fugam. Praeterea majores nostri multos pauci saepe vicerunt. Quid ergo conferet vobis gloria parentalis, exercitatio sollennis, disciplina militaris, nisi multos pauciores vincatis? Sed jam finem dicendi suadet hostis inordinate proruens, et quod animo valde meo placet, disperse confluens. Vos igitur, archipraesulis vestri loco, qui hodie commissa in Domini domum, in Domini sacerdotes, in Domini gregem pusillum vindicaturi estis, si quis vestrum praelians occubuerit, absolvimus ab omni poena peccati, in nomine Patris, cujus creaturas foede et horribiliter destruxerunt, et Filii, cujus altaria maculaverunt, et Spiritus Sancti, a quo sublimatos insane ceciderunt.'

HENRY OF HUNTINGDON

MANY OF THE MERCENARY CAPTAINS WHO FOUGHT FOR STEPHEN OR MATILDA WERE LITTLE BETTER THAN BRIGANDS

61 Sequenti ebdomada, ipso tempore Passionis, septimo kalendas Aprilis, praefatus barbarus Robertus filius Huberti, ad furta belli peridoneus, castellum de Divisis clanculo intercepit. Homo cunctorum quos nostri saeculi memoria complectitur immanissimus, in Deum etiam blasphemus; ultro quippe gloriari solebat se interfuisse ubi quater viginti monachi pariter cum ecclesia concremati fuerint: idem se in Anglia factitaturum et Deum contristaturum depraedatione Wiltoniensis ecclesiae, etiam subversione Malmesberiensis, cum monachorum illius loci omnium caede; id se muneris eis repensurum, quod regem ad nocumentum sui admisissent.* Hoc enim illis imponebat, set falso. Hisce auribus audivi, quod si quando captivos, quod quidem rarissime fuit, immunes absque tortionibus dimittebat, et gratiae ipsi de Dei parte agebantur, audivi, inquam, eum respondisse, 'Nunquam mihi Deus grates sciat!' Captivos melle litos flagrantissimo sole nudos sub divo exponebat, muscas et id generis animalia ad eos compungendum irritans. Iam vero nactus Divisas, iactitare non dubitavit se totam regionem a Wintonia usque Londoniam per id castellum occupaturum, et ad tuitionem sui pro militibus Flandriam missurum. Haec facere meditantem ultio caelestis impedivit per Iohannem filium Gildeberti, magnae versutiae virum, qui apud Merleberge castellum habebat: ab eo siquidem vinculis innodatus, quia Divisas dominae suae imperatrici reddere detractabat, patibulo appensus et exanimatus est, miro circa sacrilegum Dei iudicio concitato, ut non a rege cui adversabatur, set ab illis quibus favere videbatur, exitium tam turpe meruerit. Mortis illius auctores digno attollendi praeconio, qui tanta peste patriam liberarint ac intestinum hostem tam iuste damnarint.

(*He had seized Malmesbury Castle, but was soon expelled by Stephen)

WILLIAM OF MALMESBURY

THE SPEECH OF ROBERT OF GLOUCESTER BEFORE THE BATTLE OF LINCOLN

62 Veruntamen contra quos bellum geratis attendite. Alanus Britonum dux contra vos, immo contra Deum, procedit armatus; vir nefandus, et omnium genere scelerum pollutus, malitia paris nescius, cui nunquam nocendi defuit affectus, cui se non esse crudelitate incomparabilem solum et supremum videtur opprobrium. Procedit quoque contra vos comes Mellensis, doli callidus, fallendi artifex, cui innata est in corde nequitia, in ore fallacia, in opere pigritia, corde gloriosus, ore magnificus, opere pussillanimis, ad congrediendium ultimus, ad digrediendum primus, tardus ad pugnam, velox ad fugam. Procedit contra vos Hugo consul, cui parum visum est se contra imperatricem perjurum fuisse, nisi et secundo se patentissime perjuraret, affirmans regem Henricum

Stephano regnum concessisse, et filiam suam abdicasse, qui nimirum fallaciam virtutem credit, et elegantiae perjurium ducit. Procedit consul de Albemarle, vir in crimine singularis constantiae, ad agendum volubilis, ad relinquendum immobilis, quam sponsa sua causa spurcitiae intolerabilis fugitiva reliquit. Procedit consul ille, qui consuli praedicto sponsam abripuit, adulter patentissimus et excellenter impurus, Baccho devotus, Marti ignotus, vino redolens, bellis insolens. Procedit Simon comes Hamtoniensis, cujus actus sola locutio, cujus datum sola promissio, qui cum dicit, fecit, cum promittit, dedit. Procedunt caeteri consules et proceres regi suo consimiles, latrociniis assueti, rapinis delibuti, homicidiis saginati, omnes tandem perjuria contaminati. Vos igitur, viri fortissimi, quos magnus rex Henricus erexit, iste dejecit,—ille instruxit, iste destruxit,—erigite animos, et de virtutibus vestris, immo de Dei justitia confisi, vindictam vobis a Deo oblatam de facinorosis praesumite, et gloriam immarcessibilem vobis et posteris vestris praefigite. Et jam, si vobis idem animus est, ad hoc Dei judicium perpetrandum progressionem vovete, fugam abjurate, erectis in coelum unanimiter dextris.

THE BATTLE OF LINCOLN

63 Rex itaque Stephanus cum acie sua pedestri relictus est in medio hostium. Circuierunt igitur undique aciem regalem, et totam in circuitu expugnabant, sicut castellum solet assiliri. Tunc vero horrendam belli faciem videres in omni circuitu regalis aciei, ignem prosilientem ex galearum et gladiorum collisione, stridorem horrendum, clamorem terrificum; resonabant urbis muralia. Impetu igitur equorum regalem turmam offendentes, quosdam caedebant, alios sternebant, nonnullos abstractos capiebant. Nulla eis quies, nulla respiratio dabatur, nisi in ea parte qua rex fortissimus stabat, horrentibus inimicis incomparabilem ictuum ejus immanitatem. Quod ubi comes Cestrensis comperit, regis invidens gloriae cum omni pondere armatorum irruit in eum. Tunc apparuit vis regis fulminea, bipenni maxima caedens hos, diruens illos. Tunc novus oritur clamor; omnes in eum, ipse in omnes. Tandem regia bipennis ex ictuum frequentia confracta est. Ipse gladio abstracto dextra regis digno, rem mirabiliter agit, donec et gladius confractus est. Quod videns Guillelmus de Kahaines, miles validissimus, irruit in regem, et eum galea arripiens voce magna clamavit: 'Huc omnes, huc! regem teneo.' Advolant omnes, et capitur rex.

HENRY OF HUNTINGDON

AFTER THE CAPTURE OF STEPHEN, MATILDA WAS ACKNOWLEDGED AS QUEEN BY ALMOST THE WHOLE COUNTRY, AND SHE CAME TO LONDON TO BE CROWNED

64 Cum igitur illa maiorem sibi regni partem, datis obsidibus, sumpto et ab hominibus hominio, tandem inclinasset, et ob hoc in fastuosam elata verticem plurimum se, ut praemissum est, extulisset, cum immenso militum apparatu, rogatu Londoniensium, qui se illi supplices obtulerunt, ad civitatem postremo devenit. Cumque cives laetos se pacis et tranquillitatis attigisse dies, regnique infortunium in melius permutatum aestimarent, illa, ditioribus quibusque mandatis, infinitae copiae pecuniam, non simplici cum mansuetudine sed cum ore imperioso, ab eis exegit. Proinde cum illi solitas divitiarum opulentias per regni dissensionem conquererentur amisisse, ad asperrimae famis, quae imminebat, relevandam inediam plurima impendisse, usque ad impudentem pauperiem regi semper obtemperasse, ideoque pie illam et humiliter implorarent, quatinus calamitatis et oppressionis suae miserta, in exigendis pecuniis modum eis imponeret, in iniungendis insoliti tributi angariis vexatis civibus vel pauco tempore parceret; deinde vero, cum sopitis per regnum bellorum tumultibus pax ex integro rediret stabilior, quanto amplius divitiis dilatarentur, tanto obnixius ei suffragarentur,—talia his modis civibus prosequentibus, illa, torva oculos, crispata in rugam frontem, totam muliebris mansuetudinis eversa faciem, in intolerabilem indignationem exarsit, regi inquiens Londonienses plurima et saepe impendisse; divitias suas ad eum roborandum, se autem imbecillandam, largissime prorogasse; cum adversariis suis in malum suum dudum conspirasse; ideoque nec iustum esse in aliquo eis parcere, nec exquisitae pecuniae vel minimum relaxare. His cives perceptis tristes et inexauditi ad sua discessere.

65 In huius etiam temporis instantia regina,* astuti pectoris virilisque constantiae femina, nunciis ad comitissam† destinatis, pro viro ex carcerali squalore eruendo, filioque illius ex paterno tantum testamento hereditando, enixe supplicavit; sed cum duris et inhonestis conviciata iniuriis, tam ipsa quam et illi, qui vice illius supplicaturi accesserant, suae petitionis compotes minime exstiterant, regina, quod prece non valuit, armis impetrare confidens, splendidissimum militantium decus ante Londonias ex altera fluvii regione transmisit, utque raptu et incendio, violentia et gladio in comitissae suorumque prospectu ardentissime circa civitatem desaevirent praecepit. Londonienses igitur plurimum anxiati, hinc, quia in eorum oculis patria nudabatur hostilique depraedatione in domos hericii redigebatur, nec qui suffragaretur in promptu habebatur; inde, quia nova illa domina discretionis metas transcendens immoderate se contra eos erigebat, nec futurae eam mansuetudinis vel pietatis habituram erga se viscera sperabant, cum in primo iam regnandi capite suorum nequaquam miserta intolerabilia eos postularet: quocirca dignum consultu iudicarunt, ut cum regina pacis et confoederationis pactione redintegrata, ad regem et dominum a vinculis eruendum unanimiter conspirarent, quod pro rege nimis subito nimis et indiscrete relicto iuste notati, iniunctam sibi novorum tyrannidem quoquomodo spirante adhuc rege susciperent.

66 Cum ergo comitissa quid super postulatione sua cives responderent, voluntatis implendae secura, praestolaretur, omnis civitas sonantibus ubique campanis, signum videlicet ad bellum progrediendi, ad arma convolavit, omnesque unum habentes animum in comitissam et suos atrocissime irruere velle, quasi frequentissima ex apium alveariis examina reseratis portis pariter prodierunt. Illa autem cum coquinatis dapibus nimium audacter nimiumque secure recumbere iam proposuisset, audito civitatis horrendo tumultu, et a quodam de proditione in eam concitata secrete permonita, fugae velocissime praesidium cum omnibus suis expetiit. Cumque cursatiles ascensi equos vix antemurales civitatis domos fugiendo liquissent, ecce civium magna, dictuque et aestimatu indicibilis copia, hospitia quae reliquerant subiens, quodcumque impraemeditata fugae velocitas intus deseruerat, sicut relictum invenit, ita et inventum ubique diripuit. Comitissa autem, cum plures secum barones timore urgente aufugissent, non tamen continuos eos fugae et dispersionis suae secum habuit comites: quia tantus tam repentini pavoris strepitus tam mirabiliter omnes conturbavit, ut, dominae suae prorsus immemores, sibi potius fugiendo consulerent, variarumque viarum diversiclinia, quae se citius fugitantibus obiciebant, subeuntes, per plurima diverticula, quasi se Londonienses instanter insequerentur, sua expetierunt.

GESTA STEPHANI

A EULOGY OF ROBERT OF GLOUCESTER, THE WRITER'S PATRON

67 Nec est praetermissus secundus eius post mortem patris a Normannia in Angliam cum sorore adventus; in quam se sicut in quandam silvam frementium beluarum immersit, Dei quidem gratia et animi confidentia fretus, set vix centum quadraginta militibus stipatus. Set nec illud tacitum, quod in tanto motu bellorum, cum sollicitae ubique praetenderentur excubiae, cum solis duodecim militibus impigre ad Bristou venit, sorore interim apud Arundellum fida, ut putabat, custodia commissa. Qua prudentia et tunc sororem suam e mediis hostibus ad se receperit, et postmodum in omnibus pro posse provexerit; semper circa eam conversatus, ipsius commoda procurans, sua postponens, cum quidam abutentes eius absentia terras ipsius undique vellicarent. Ad postremum, qua necessitate adductus, ut generum suum, quem rex incluserat, periculo eximeret, bello gravi se dederit regemque ceperit. Set tam felicem eventum captio eius apud Wintoniam, ut in superioris anni gestis perstrinxi, paulo minus decoloravit; quamquam ea captione non tam miserandum quam laudandum se ipse per Dei gratiam exhibuerit: cum enim videret regios comites ita obstinatos ad persequendum ut sine suorum detrimento res transigi nequiret, omnes quibus timebat nominatimque imperatricem praemisit; quibus praetergressis, ut iam tuto possent evadere, ipse sensim equitans, ne similis fugae profectio putaretur, admisit in se persequentium manus, amicorum liberationem impedimento suo mercatus. Iam vero in ipsa captione nemo eum, ut ante dixi, vel sensit deiectum animo, vel audivit humilem in verbo: adeo supra fortunam eminere videbatur, ut persecutores suos, nolo dicere hostes, ad reverentiam sui excitaret. Itaque regina, quae licet meminisset virum suum eius iussu fuisse compeditum, nihil ei unquam vinculorum inferri permisit, nec quicquam inhonestum de sua maiestate praesumpsit: denique apud Rovecestram, illuc quippe ductus fuit, libere ad ecclesias infra castellum quo libebat ibat, et quibuslibet loquebatur, ipsa dumtaxat regina praesente: nam post profectionem eius in turrim sub libera custodia ductus est, adeo praesenti et securo animo ut ab hominibus suis de Cantia accepta pecunia equos non parvi pretii compararet, qui ei post aliquanto tempore et usui et commodo fuere.

68 Temptavere primo comites, et hi quorum intererat de talibus loqui, si forte regem et se sineret aequis conditionibus liberari. Hoc quamvis Mabilla comitissa prae desiderio viri sui dilecti statim amplexa nuntiis acceptis esset, in eius liberationem coniugali caritate propensior, ille profundiori consilio contradixit, regem et comitem non aequalis ponderis esse asseverans: ceterum, si permitterent omnes qui vel secum vel sui causa capti essent liberari, id se posse pati. Set noluerunt assentire comites, et alii qui regalium partium erant; regem quidem liberari cupientes, set citra suas in pecuniae amissione iacturas: nam et Gillebertus comes Willelmum de Salesberia, Willelmus de Ipra Hunfridum de Bohun, nonnulli alii quos potuerant, Wintoniae ceperant, multis in eorum redemptione marcis inhiantes.

69 Itaque alia via comitem adorsi, promissis ingentibus, si forte possent, illicere cupiebant. Concederet, sorore dimissa, in partes regis, habiturus proinde totius terrae dominatum, et ad ipsius arbitrium penderent omnia essetque in sola corona rege inferior, ceteris omnibus pro velle principaturus. Repulit comes immensas promissiones memorabili responso, quod posteritas audiat et miretur volo: 'Non sum,' inquit meus set alieni iuris: cum meae potestatis me videro, quicquid ratio de re quam allegatis dictaverit, facturum me respondeo.'

70 Tum illi concitatiores et nonnihil moti, cum blanditiis nihil promoverent, minas intentare coeperunt, quod eum ultra mare in Bononiam mitterent, perpetuis vinculis usque ad mortem innodandum. Enimvero ille, minas sereno vultu dissolvens, nihil minus se timere protestatus est. Constanter et vere: confidebat enim in magnanimitate comitissae, uxoris suae scilicet, et animositate suorum, qui statim regem in Hiberniam mitterent, si quid perperam in comitem factum audissent.

71 Transiit in his mensis; tantae molis erat liberari posse principes quos fortuna sua innexuisset catena. Tandem porro communicato consilio, quicumque imperatrici favebant crebris legationibus comitem conveniunt, ut quia non posset quod vellet, secundum comici dictum, vellet quod posset: pateretur ergo regem et se liberari mutuis conditionibus; 'alioquin timemus,' aiebant, 'ne comites facti sui maximi et praeclarissimi, quo te ceperunt, erecti conscientia unos et unos ex nobis invadant, castella oppugnent, ipsam sororem tuam obsideant.'

72 Tum demum Robertus mollitus legato* et archiepiscopo†
assensit; ita tamen, ne quicquam castellorum vel terrarum redderetur quod post regis captionem in ius imperatricis vel quorumcumque fidelium eius transierat. Illud sane nullo potuit obtinere
modo quatenus sui secum liberarentur; offensis videlicet aliis, quod
tantas eorum promissiones de principatu totius regni, quodam
quasi fastu fastidiens, repudiaverat. Et quia maxime annitebantur
ut propter regiam dignitatem primo rex liberaretur, deinceps
comes; cum id ille dubitaret concedere, firmaverunt iureiurando
legatus et archiepiscopus, quod, si rex post liberationem suam
detractaret comitem liberare, ipsi se in captionem comitis incunctanter inicerent, quocumque ipsi libuisset abducendi.

(* Henry of Blois, Bishop of Winchester and Papal legate   † Theobald, Archbishop of Canterbury)

73 Nec adhuc quievit, set praeter haec quo sibi provideret
sagax animus invenit: posset nempe fieri ut rex, malorum, quod
saepe fit, praeventus consilio, captionem fratris sui et archiepiscopi parvi duceret dummodo ipse liber in pluma iaceret. Exegit
ergo ab utroque sigillatim brevia et sigilla sua ad apostolicum in
hunc sensum: sciret dominus apostolicus eos ob regis liberationem
et regni pacem hoc se pacto comiti astrinxisse, quod, si eum rex
post suam ipsius liberationem liberare dissimularet, ipsi ultro se
in captionem ipsius immitterent. Quapropter, si ad hoc infortunium perventum foret, obnixe rogare, (quod apostolicae humanitatis esset sponte facere) ut et eos qui suffraganei ipsius erant, et
comitem pariter, ab indebitis nexibus exueret.

WILLIAM OF MALMESBURY

GEOFFREY DE MANDEVILLE

74 Fuit eo in tempore ex his qui regi obtemperabant Galfridus
de Magnavilla, vir sicut prudentis animi ingenio spectabilis, ita
et in adversis inflexibilis virtutis constantia militarisque studii
probitate admirabilis; qui omnes regni primates et divitiarum
potentia et dignitatis excedebat opulentia; turrim quoque Londoniarum in manu, sed et castella inexpugnabilis fortitudinis
circa civitatem constructa habebat, omnemque regni partem, quae
se regi subdiderat, adeo sub dispositionis suae clave redegerat, ut
ubique per regnum regis vices adimplens et in rebus agendis rege
avidius exaudiretur, et in praeceptis iniungendis plus ei quam
regi obtemperaretur. Quod aegre ferentes illi praecipue, qui se

familiariori dilectione regi coniunctius devinxerant, tum quia Galfridus, ut videbatur, omnia regni iura sibi callide usurparat, tum quia regnum, ut in ore iam vulgi celebre fuerat, comitissae Andegavensi conferre disposuerat, ad hoc regem secreta persuasione impulerunt, quatinus Galfridum de proditionis infamia notatum caperet, et redditis quaecumque possederat castellis, et rex posthinc securus, et regnum ipsius haberetur pacatius. Rege multo tempore differente, ne regia maiestas turpi proditionis opprobrio infamaretur, subito inter Galfridum et barones, iniuriis et minis utrinque protensis, orta seditio: cumque rex habitam inter eos dissensionem, sedatis partibus, niteretur dirimere, affuerunt quidam, qui Galfridum de proditionis factione in se et suos machinata libera fronte accusabant. Cumque se de obiecto crimine minime purgaret, sed turpissimam infamiam verbis iocosis alludendo infringeret, rex et qui praesentes aderant barones Galfridum et suos repente ceperunt. Haec autem, ut relata sunt, apud sanctum Albanum effecta contigerunt.

75 Rex igitur Galfridum, custodiis artissime adhibitis, Londonias adducens, ni turrim et quae miro labore et artificio erexerat castella in manus eius committeret, suspendio cruciari paravit: cum salubri amicorum persuasus consilio, ut imminens inhonestae mortis periculum, castellis redditis, devitaret, regis voluntati tandem satisfecit, regnique totius communem ad iacturam, tali modo liberatus, de medio illorum evasit. Ferus namque et turbulentus, per tyrannidis suae commotionem totum Angliae regnum in dissensionem validius commovit, dum et regis adversarii, audientes eum in regem arma sumpsisse, tanti comitis roborati suffragio, promptius et hilarius ad discordiam ubique ingerendam convolarent, et qui regis fautores esse videbantur, tanquam horrendo depressi tonitruo, pro illius a rege discessione magis ac magis humiliabantur.

76 Galfridus igitur, militibus ubique in regno fide sibi et hominio coniuratis in unum secum cuneum convocatis, gregariae quoque militiae, sed et praedonum, qui undecumque devote concurrerant, robustissima manu in suum protinus conspirata collegium, ignibus et gladio ubique locorum desaevire; gregum et armentorum depraedationi avidus et insatiabilis incumbere; omnia adversus regiae partis consentaneos abripere et consumere, nudare et destruere; nulli aetati, nulli professioni parcere, sed insatiatae atrocitatis sitim ubique exaestuans, quicquid exquisitae crudelitatis menti occurrebat, instantissime in adversarios complere.

Civitatem namque Cantebrigam, regio iuri subditam, incautis in eam civibus irruens cepit et depraedavit, ecclesiasque, ostiis securibus immersis, violenter confregit, distractisque spoliis, et quas cives in eis recondiderant opes, flammas passim iniecit, talique ferocitate in omnem circumquaque provinciam, in omnibus etiam, quascumque obviam habebat, ecclesiis, immiseranter desaeviit; possessiones coenobiorum, distractis rebus, depopulatis omnibus, in solitudinem redegit; sanctuaria eorum, vel quaecumque in aerariis concredita reponebantur, sine metu vel pietate ferox abrepsit; coenobiumque sancti Benedicti de Ramesia, non solum captis monachorum spoliis, altaribus quoque et sanctorum reliquiis nudatis, expilavit, sed etiam expulsis incompassive monachis de monasterio, militibusque impositis, castellum sibi adaptavit.

77 Cum igitur primum tam temerariae commotionis rex audisset praesumptionem, effrenemque Galfridi in omnem circumquaque patriam eruptionem, ad tam praecipitis insaniae ausus cohibendos, cum validissimae militiae apparatu festinus advenit. Sed dum ille se a regis occursu callide dimoveret, et nunc securas fugae suae latebras in locis palustribus, quae in ea maxime regionis parte exuberant, celeriter repeteret, nunc provinciam, qua eum rex fuerat persecutus, cum suis relinquens, aliorsum turbationem excitaturus versute diverteret, rex solitos illius in eadem patria excursus prudenter attentans impedire, in locis oportunis castella construxit, militibusque, qui patriae perlitoribus resisterent, sufficienter impositis, ad alia explenda regni negotia alio divertit. Galfridus autem, rege discesso, in eos, quos ad se infestandum reliquerat, omnes conaminis sui vires impiger exercuit, sibique regis adversariis, quotquot e diverso confluxerant, sociatis, Hugone quoque cognomento Bigot, viro illustri et in illis partibus potenti, sibi confoederato, quia et ipse regni pacem regisque virtutem instantissime, ut praemissium est, turbabat, omnem patriam atrox ubique et in omnem sexum et ordinem immitis commovit. Verum tantarum tamque immanium persecutionum, tam crudelium quoque, quas in omnes ingerebat, calamitatum iustissimus tandem respector Deus dignum malitiae suae finem imposuit. Quia dum nimis audax, nimisque prudentiae suae innitens regiae virtutis castella frequentius circumstreperet, ab ipsis tandem regalibus circumventus prosternitur; et sicut, dum viveret, ecclesiam confudit, terram turbavit, sic ad eum confundendum tota Angliae conspiravit ecclesia; quia et anathematis gladio percussus et inabsolutus abscessit, et terrae sacrilegum dari non licuit.

GESTA STEPHANI

78 Mense autem Augusti miraculum justitia sua dignum Dei splendor exhibuit; duos namque qui monachis avulsis ecclesias Dei converterant in castella, similiter peccantes simili poena multavit. Robertus namque Marmiun, vir bellicosus, hoc in ecclesia de Coventre perversus exegerat; porro Gaufridus, ut diximus, in ecclesia Ramesiensi scelus idem patraverat. Insurgens igitur Robertus Marmiun in hostes, inter ingentes suorum cuneos coram ipso monasterio solus interfectus est, et excommunicatus morte depascitur aeterna. Similiter Gaufridus consul, inter acies suorum confertas, a quodam pedite vilissimo solus sagitta percussus est. Et ipse, vulnus ridens, post dies tamen ex ipso vulnere excommunicatus occubuit. Ecce Dei laudabilis, omnibus seculis praedicanda, ejusdem sceleris eadem vindicta! Dum autem ecclesia illa pro castello teneretur, ebullivit sanguis a parietibus ecclesiae et claustri adjacentis, indignationem divinam manifestans, exterminationem sceleratorum denuntians; quod multi quidem, et ipse ego, oculis meis inspexi. Quia igitur improbi dixerunt Deum dormire, excitatus est Deus, et in hoc signo, et in significato. Eodem quippe anno, et Ernulfus filius consulis, qui post mortem patris ecclesiam incastellatam retinebat, captus est et per hoc exulatus; et princeps militum suorum in hospitio suo ab equo corruens effuso cerebro exspiravit. Princeps autem peditum suorum, Reinerus nomine, cujus officium fuerat ecclesias frangere vel incendere, dum mare cum uxore sua transiret, ut multi perhibuerunt, navis immobilis facta est. Quod monstrum nautis stupendibus, sorte data rei causam inquirentibus, sors cecidit super Reinerum. Quod cum ille nimirum totis contradiceret nisibus, secundo et tertio sors jacta in eum devenit. Positus igitur in scapha est, et uxor ejus, et pecunia scelestissime adquisita, et statim navis cursu velocissimo ut prius fecerat pelagus sulcat, scapha vero cum nequissimis subita voragine circumducta in aeternum absorpta est.

HENRY OF HUNTINGDON

AFTER THE DEATH OF ROBERT OF GLOUCESTER, MATILDA'S SON HENRY COMMANDED HER FORCES

79 Henricus dux Normannorum obsedit castrum Cravemense, quod rex Stephanus fecerat haud procul a Warengefort,* quatinus milites ducis, qui in praedicto castro erant, a transitu pontis

(* *Wallingford, the castle of Brian FitzCount, held out for Matilda throughout the war, though the surrounding country was reduced to desolation*)

Tamisiae prohiberet. Capto pro majori parte castello Cravemense, cum rex Stephanus illo appropinquaret cum non nimio apparatu bellico, ut suis secundum condictum subveniret, dux intrepidus, nec deserens obsidionem, acies e regione contra regem pugnaturus ordinavit. Verum intercurrentibus religiosis personis, et secreto cum summatibus, qui in exercitu ducis erant, tractantibus, ad hunc finem res deducta est, ut datis quinque dierum indutiis, rex Stephanus proprium castellum quod obsidebatur everteret, eductis tantum lxxx militum suorum, qui supererant; nam dux in quadam turre lignea xx milites jam ceperat, exceptis lx sagittariis, quos decapitari fecerat. Hanc conditionem cum dux cognovisset, licet sibi magno honori esset, graviter tulit et in hac duntaxat parte de infidelitate suorum, qui eandem condictionem interpositione suae fidei firmaverant, conquestus, ne fidem illorum irritam faceret, praedictum pactum concessit. Soluta est itaque obsidio, quae circa Walingefort ordinata fuerat, rege Stephano Cravemense subvertente. Nam anno praeterito familia ducis Henrici, quae Walingefort incolebat, non solum castrum Bretewelle, quod diu eos impugnaverat, verum etiam castellum, quod rex etiam Stephanus contra jus et fas erexerat apud abbatiam Radingis, pessumdederat.

THE END OF THE WAR

80 Stephanus rex Anglorum et Henricus dux Normannorum, cognatus ejus, viii idus Novembris, justitia de coelo prospiciente, concordati sunt hoc modo. Rex prius recognovit in conventu episcoporum et comitum et reliquorum optimatum hereditarium jus, quod dux Henricus habebat in regno Angliae. Et dux benigne concessit ut rex tota sua vita, si vellet, regnum teneret; sic tamen, ut impraesentiarum ipse rex et episcopi et ceteri potentes sacramento firmarent quod dux post mortem regis, si ipse eum superviveret, pacifice et absque contradictione regnum haberet. Juratum est etiam, quod possessiones, quae direptae erant ab invasoribus, ad antiquos et legitimos possessores revocarentur, quorum fuerant tempore Henrici optimi regis; de castellis etiam quae post mortem praedicti regis facta fuerant, ut everterentur.

ROBERT OF TORIGNY

Notes on Medieval Latin Authors

WILLIAM OF JUMIEGES

Little is known about him, except that he wrote the *'Gesta Normannorum Ducum'*, which was completed about 1070 and was used by William of Poitiers. Later additions to this work were composed by Orderic Vitalis and Robert of Torigny.

WILLIAM OF POITIERS *c 1020 - c 1090*

Born at Preaux in France, William became chaplain to William the Conqueror and Archdeacon of Lisieux. He wrote a life of William, *'Gesta Guillelmi II ducis Normannorum'*, of which the earlier and final parts are missing. The extant part, covering the period 1047-1068, is valuable for details of William's life but sometimes unreliable where it treats of affairs in England.

EADMER *c 1060-1130*

Probably of English parentage, Eadmer was a monk at Christ Church, Canterbury. There he met Anselm, and later served as his assistant when he was appointed Archbishop of Canterbury in 1093. In 1120 he was himself nominated Bishop of St. Andrews, in Scotland, but trouble arose over his consecration, so he returned to England, renouncing all claims to his Bishopric.

Eadmer's literary and historical gifts were much admired by William of Malmesbury, who would make no claim to match the vividness and lucidity of Eadmer's narrative. His most important historical work was the *'Historia Novorum'*, which deals mainly with English ecclesiastical history from 1066 to 1122. Few pieces of contemporary history can equal it. His biographies, too, are better than the average works of the day. Best among them is the *'Vita Anselmi'*, the story of a great churchman and his own greatest friend.

Eadmer's style is simple and pleasant. He makes use of few unclassical words, and his history is unencumbered by trivial detail and accounts of alleged miracles. He was unquestionably a man of outstanding character and high literary ability.

SIMEON OF DURHAM

There is little to tell of the life of Simeon of Durham. We know that he joined the monastery at Jarrow some time between 1074 and 1083, and moved with the rest of the community to Durham.

At some stage between 1104 and 1108 he composed the '*Historia Ecclesiae Dunelmensis*', bringing it down to 1096. Two anonymous contributors have continued it beyond this point.

About 1129 he undertook the '*Historia Regum Anglorum et Dacorum*', beginning where Bede's Ecclesiastical History ends. The section dealing with events from 1119 to 1129 is an independent and almost contemporary account. Simeon was, however, an industrious compiler rather than an original historian.

ORDERIC VITALIS *1075 - c 1142*

Orderic was the son of a French priest who had become confessor and adviser to the Earl of Shrewsbury, and had received a living in that city from him. At the age of five he was sent to begin his education under an English priest and at ten, was entered as a novice at the Norman monastery at St Evroul en Ouche, though he spoke not one word of French at the time. He became a deacon in 1093, and a priest in 1107.

Sometime between 1099 and 1122 he was asked to compile a history of St Evroul, a work which grew to become a general history of the times. Known as the '*Historia Ecclesiastica*', it is written in three sections, beginning with the earliest origins of Christianity and ending with the defeat of Stephen at Lincoln in 1141. The first two books, covering the earliest period, are of no historical value. The next two, probably the first to be written, contain the history of St Evroul, with long digressions on the deeds of William the Conqueror, both in Normandy and in England.

The sources of this work are the chronicles of William of Jumieges and William of Poitiers. From 1067-1071 he follows the lost final section of the '*Gesta Guilelmi*', but then onwards becomes an independent authority. Chiefly interesting in this part of the history are the stories of Duke Robert of Normandy, William Rufus and Henry I. Orderic's chronology was not good, and the work as a whole lacked systematic order, but it contains much valuable information not to be found elsewhere and an interesting picture of the manners and ideas of the age.

Orderic was well read and widely travelled, besides being well informed about the most important events of the day by the many visitors to the monastery. He was better qualified to throw light on the changes brought to England by the Normans than were the English chroniclers of the time, and forms a link between the English and Norman writers of the 11th and 12th centuries.

WILLIAM OF MALMESBURY *c 1090 - c 1143*

William was of mixed Norman and English descent, coming, it would seem, from a fairly well to do family, as he mentions collecting foreign historical works at his own expense. At an early age he went to Malmesbury Abbey, where he later became librarian, and, as is now proved, precentor. Though he could easily have become Abbot, he was a scholar rather than an administrator, and chose to remain in the library. Far from being cut off from the outside world by his life in the monastery, William was on familiar terms with the Bishop of Salisbury and had gained the patronage of the Earl of Gloucester, both leading men of the age.

He wrote a considerable amount, work of a high literary standard and historical value. Various communities asked him to write histories of their monasteries or patron saints, but the three most important works he produced were: the *'Gesta Regum'* which covered the period from the arrival of the Saxons in England to the 20th year of the reign of Henry I; the *'Gesta Pontificum'*; and the *'Historia Novella'*, a valuable account of events from 1126-1142, where it ends abruptly. It is interesting to compare this with the *'Gesta Stephani'*, which, though written by a member of the opposing side (the *'Historia Novella'* was written under the patronage of the Earl of Gloucester, champion of Matilda) differs from it very little in questions of fact.

William's research for his works was painstaking, his use of sources critical, his style clear and lucid. His accuracy as a historian may leave a little to be desired, but his literary skill and descriptive powers together with a wealth of interesting detail and shrewd judgment combine to make his work extremely readable. He was particularly skilful in portraying character.

'GESTA STEPHANI'

The authorship of this work was long in doubt, but it now seems probable that it was composed by Robert, Bishop of Bath.

The writer was very loyal to Stephen, only criticizing him for his harsh treatment of the arrested bishops. However, in the later part of his work he shows little more favour to Eustace, Stephen's son, than he does to Henry, the son of Matilda.

This chronicle is an important source of information on Stephen's reign, being an eye-witness account in many cases, and containing considerable detail. It gives no dates, which is most unusual for a medieval work; this suggests that it was written all at one time rather than year by year.

In intellect and literary skill the author is not to be compared with William of Malmesbury, his style being somewhat florid and his judgment questionable, though he was little given to exaggeration. It is to the credit of both authors that, while written from completely opposite viewpoints, the 'Gesta Stephani' and the 'Historia Novella' seldom disagree on questions of fact.

HENRY OF HUNTINGDON b 1084

Son of a Churchman, although not a monk himself, Henry was a member of the household of Robert Blouet, Bishop of Lincoln, who appointed him archdeacon of Huntingdon in 1110. He probably died c 1155, the year when a new archdeacon was appointed.

His major undertaking was the 'Historia Anglorum', a history of the English people from the time of Julius Caesar onwards. This was first brought down to 1129 and later continued to 1154, the year of Stephen's death. The earlier part is based on Bede's history and the Anglo-Saxon Chronicle, and is enlarged by oral tradition and, at times, by Henry's imagination. From 1127 on it is probably an original and contemporary narrative.

Other works of Henry include the 'Epistola ad Walterum de contemptu mundi', a moralising tract with some anecdotes about contemporary figures, and the 'De Miraculis', partly composed of extracts from Bede. He also produced eight books of Latin epigrams as well as adorning his history with frequent poetic pieces.

Henry was a historian, not a mere compiler of annals. He made discriminating use of his sources, weighed events in his mind and drew his own conclusions. His chronology prior to the Conquest is amusingly poor, but with allowances made for his tendency to exaggerate, he is generally reliable. A little severe, though perhaps justified to a large extent, is Arnold's verdict on his work: 'Ambitious' he grants, 'but not laborious; literary, but not exact; intelligent, but not penetrating: He formed large projects, but was too indolent to execute them satisfactorily.'

The long speeches that Henry includes in his work were largely free compositions of his own. In this he was following the example of many Classical historians.

AELRED OF RIEVAULX 1110 - 1167

Aelred's youth was spent at the Scottish Court as an attendant of Prince Henry, the son of David of Scotland. He later entered the Cistercian house of Rievaulx in Yorkshire, which had been founded in 1131, where he held the post of Master of the Novices and was known for his tenderness and patience with those in his charge. After spending some time as abbot of Revesby in Lincolnshire, he returned to Rievaulx in 1146 to become abbot there. He was perhaps one of the most influential churchmen of his time, and made a great contribution to the development of humanism in the twelfth century. His later years were dogged by ill health, and finally on 12 January 1167 he died at Rievaulx. He was canonised 25 years later.

Though he was a voluminous writer, not all of his works have been published. The best known amongst them is the 'Relatio de Standardo', a detailed account of the Battle of the Standard. This account is better known, though possibly less accurate than that of Richard of Hexham.

ROBERT OF TORIGNY c 1110 - 1186

The date of Robert's birth is not certain, though he probably came of good family. He entered the monastery at Bec in 1128 and became a monk there, and later, in 1151, Prior. After 1154, when he went as Abbot to Mont St Michel, he was also known as Robert de Monte. He enlarged his Monastery buildings and restored the library, filling it with books. He travelled widely amongst its possessions, and is known to have met Henry of Huntingdon at one point.

His work mainly consists of continuations of, and additions to, the works of other chroniclers. He added to that of William of Jumieges, where he makes a valuable contribution to the account of the reign of Henry I, and also to Sigebert of Gembloux, where his work on Henry II's reign contains much valuable information omitted in the English chronicles. He provides too, a useful source of information on continental affairs from 1154 to 1170.

INDEX OF SELECTED PASSAGES

BIBLIOGRAPHY

Eadmer *Rolls Series*

Henry of Huntingdon *Rolls Series*

Simeon of Durham *Rolls Series*

William of Malmesbury *Rolls Series*

Gesta Stephani,

William of Malmesbury, *Historia Novella, Rolls Series*

Aelred of Rievaulx, *Relatio de Bello Standardii, Rolls Series*

Henry of Torigny, *Chronicle, Rolls Series*

William of Jumieges *ed* and *tr* into French, J Marx, Rouen, 1914

William of Poitiers *ed* and *tr* into French, R Foreville, Paris, 1952

William of Malmesbury, *Gesta Regum* and *Historia Novella tr* J Sharpe, London, 1954

William of Malmesbury, *Historia Novella ed* and *tr* K Potter, Nelsons, 1955

Gesta Stephani ed and *tr* K Potter, Nelsons, 1955

Eadmer, *Historia Novorum tr* G Bosanquet, London, 1964

Henry of Huntingdon, *Historia Anglorum tr* T Forester, London, 1847

Simeon of Durham, *Historia Dunelmensis Ecclesiae tr* J Stevenson, London, 1855

Absque: without

Abstraho, traxi, tractum: to drag away, remove, draw

Abrado, si, sum: to rob, seize, extort

Abutor, usus: to abuse, take advantage, exhaust

Acceptus, a, um: agreeable, welcome

Accerso: see arcesso

Accido, cidi: to happen (to)

Accingo, inxi, inctum: to prepare, get ready

Acclinis, e: supported by, subject to

Actutum: quickly

Aculeus, i, *m*: spur, sting

Adhibeo: to use, employ, accompany, put on

Adimpleo, evi, etum: to perform, fulfil

Aditus, us, *m*: an opening, entrance

Adjaceo, cui: to border on, be adjacent to

Adjicio, jeci, jectum: to add (to what has been done)

Adjuvo, uvi, utum: to help, support

Admitto, misi, missum: (of horse) to give full rein to

Adorior, ortus: to approach, accost, attack

Advena, ae, *mfn*: strange, foreign, alien

Adversor, ari: to oppose, resist

Aegre fero: to be upset, angry (that)

Aemulanter: spitefully, maliciously, enviously

Aerarium, i, *n*: treasury

Aerumna, ae, *f*: hardship, distress, tribulation

Aes alienum: debt

Aestimo, are: to estimate (the value of), consider

Aestus, us, *m*: heat, passion

Aetatula, ae, *f*: youth

Aeternum, in: for ever

Aevum, i, *n*: a lifetime

Affectus, us, *m*: will, desire, affection

Affigo, fixi, fictum: attach

Affore: from **adsum**

● **Suffixes in bold type after verbs are the parts of that verb; after nouns the suffix shows the genitive and the italic lettering (*m,f,n*) refers to the gender. Bold suffixes after adjectives show the feminine and neuter declensions.**

Aggero, gessi, gestum: to amass

Aggestio, onis, *f*: hoarding, amassing, a hoard

Aggredior, gressus: to begin, undertake, attack

Agnomen, inis, *n*: surname

Album, i, *n*: roll

Alias: at some other time

Alioquin: otherwise

Aliorsum: elsewhere

Aliquandiu: for a while

Allego: to mention, relate, offer

Alo, ui, altum: to nourish, feed

Altum, i, *n*: the deep, sea

Alvearium, ii, *n*: a beehive

Amarico: to make bitter, irritate

Ambitio, onis, *f*: display, show

Ambitus, us, *m*: open space round a building, circuit

Amento: to hurl with a thong

Anathema, atis, *n*: excommunication

Angaria, ae, *f*: service, duty, burden

Animadverto, ti, sum: to notice

Animositas, atis, *f*: courage

Animus, i, *m*: desire, inclination, pleasure

Antigraphus, i, *m*: secretary

Antistes, itis, *mf*: a priest, bishop

Apostolicus, i, *m*: the Pope

Apparatus, us, *m*: preparation, provision, equipment, magnificence

Appello, puli, pulsum: to land

Appendo, di, sum: to hang (from), suspend

Aperio, erui, pertum: to open

Appeto, ivi, itum: to attack, assail

Apto: to prepare, get ready

Aquilonaris, e: northern

Arbitrium, i, *n*: judgment, opinion, authority

Arceo, cui, arctum: to stop, keep away

Arcesso, ivi, itum: to summon

Archipraesul, ulis, *m*: archbishop

Arcuatus, a, um: curved

Arcus, us, *m*: bow

Area, ae, *f*: (belli) battlefield

Arguo, ui, utum: to accuse of, charge with

Arrideo, risi, risum: to look kindly on, be favourably disposed towards

Arte: closely

Artifex, icis, *m*: a master of, practised or skilled in

Artificium, i, *n*: skill

(H) Arundo, inis, *f*: reed, arrow

Ascensorium, i, *n*: mounting-block

Asporto: to carry away
Assensus, us, *m*: approval, assent
Assensum praebeo: to consent to
Assero, ui, ertum: to affirm, declare
Asto, stiti: to stand by, assist
Astringo, inxi, ictum: to bind, put under obligation
Attingo, tigi, tactum: to reach
Auctor, oris, *m*: instrument, sponsor, instigator
Austeritas, atis, *f*: harshness, rigor
Australis, e: southern
Ausus, us, *m*: bold attack, boldness
Avello, vulsi, vulsum: to remove, tear away
Averto, ti, sum: to turn away, avert
Avium, i, *n*: the wilds

Baculum, i, *n*: staff
Barbaries, ei, *f*: strange or unfamiliar country
Belua, ae, *f*: monster, wild beast
Biduum, ii, *n*: two days
Bipennis, is, *f*: battle axe
Bis: twice
Blanditia, ae, *f*: flattery, allurements
Borealis, e: northern
Breve, is, *n*: writ
Bucca, ae, *f*: mouth
Buccina, ae, *f*: trumpet

Cachinno: to laugh loudly
Cachinnus, i, *m*: roars of laughter, jeers
Caesaries, ei, *f*: hair
Calamus, i, *m*: reed, reed pen
Caliga, ae, *f*: leather boot or shoe
Callidus, a, um: shrewd, cunning
Callis, is, *m*: way, road
Callus, i, *m*: (a patch of) hard skin
Calor, oris, *m*: heat, anger, vehemence
Campana, ae, *f*: bell
Cano, cecini, cantum: to sound
Capillus, i, *m*: hair
Capulus, i, *m or* um, i, *n*: tomb, grave
Careo, ui, itum: to be without, not to have
Casso: to shake, waver, tremble
Cassus, a, um: deprived of, not granted, vain, fruitless
Casus, us, *m*: chance, mischance, event
Casus belli dubii: the vicissitudes of war
Cauda, ae, *f*: tail
Causidicus, i, *m*: pleader, lawyer
Cautus, a, um: wary
Cavillator, oris, *m*: jester, jeerer
Cenaculum, i, *n*: dining room

Censeo, ui, ensum: to consider, be of the opinion that
Cerebrum, i, *n*: brain
Certamen, inis, *n*: contest
Certatim: earnestly, eagerly
Certo: to struggle, contend
Cingulum, i, *n*: (sword) belt
Circius, i, *m*: W N W wind
Circumquaque: all around, surrounding
Circumstrepo, itum: to raise a clamor round
Cito: quickly, soon
Citra: without, except, on this side
Clanculo: secretly
Clavis, is, *f*: key
Clavus, i, *m*: nail
Clerus, i, *m*: the clergy
Clivus, i, *m*: hill, slope
Clypeus, i, *m*: shield
Coadiutor, oris, *m*: supporter, assistant
Coarto: to drive to, confine, trap
Coenobialis, e: monkish, monastic, of monasteries
Coenobium, ii, *n*: monastery, convent
Cogo, coegi, actum: to assemble, gather together, compel
Collegium, i, *m*: group, company, fraternity
Comes, itis, *c*: companion, count
Comis, e: obliging, kind, affable
Comitatus, us, *m*: countship, dukedom
Commentor, oris, *m*: inventor, machinator
Commereo: to deserve
Communio, onis, *f*: social intercourse
Commoneo: to remind, impress upon
Commutatio, onis, *f*: exchange
Compareo: to be visible
Compedio, itum: to shackle, put in chains
Comperio, peri, pertum: to learn, discover beyond doubt
Compes, edis, *f*: fetters, chains
Complector, exus: to love, value
Compleo, evi, etum: to fulfil, carry out
Compono, posui, positum: to unite, gather together
Compos, otis: in possession of
Compos petitionis: the petition granted
Conamen, inis, *n*: a struggle, endeavour
Concedo, essi, essum: to agree
Concredo, didi, ditum: to consign, commit

Conculco: to abuse, treat with contempt, trample on

Condecens, entis: seeming, fit, suitable, appropriate

Condicio, onis, *f*: terms, rank, circumstances

Conductus, us, *m*: safe-conduct, escort

Confertus, a, um: crowded, thick, dense

Confestim: without delay

Confodio, fodi, fossum: to strike down, transfix

Confoveo, ere: to foster, cherish

Congeries, ei, *f*: hoard, pile

Conglobatim: in a mass

Conglobo: to crowd together

Conjicio, jeci, jectum: to infer, guess, conclude

Conniveo, ivi: to turn a blind eye to, to connive at

Conquadro: to match, equal, correspond to

Conqueror, questus: to complain bitterly, lament

Consentaneus, a, um: befitting, consistent

Consisto, stiti, sistum: to halt

Constat: it is well known, undisputed

Consul, is, *m*: count, earl

Consulo, ui, ultum: consider, resolve, (+*dat*) take care of

Contero, trivi, tritum: destroy, crush, consume

Contingo, igi, actum: to happen

Contraho, traxi, tractum: to lessen, break (of health), contract

Contristo: to afflict

Convenio: to come to an agreement, to go to someone to discuss something

Conversor: to live with, keep company with

Convicior: to revile, taunt

Convicium, i, *n*: insult, censure

Coquino: to cook (well)

Cor, cordis, *n*: heart

Cornipes, edis, *m*: horse

Corrodo, si, sum: to gnaw (through)

Corruo, ui: to fall, crash

Corusco: to flash, gleam, move quickly

Crassus, a, um: stupid, thick

Cremo: to fire, burn

Crimen, inis, *n*: accusation

Cruento: to stain with blood, defile

Crus, uris, *n*: leg, shin

Cubicularius, i, *m*: valet, gentleman of the bedchamber

Culleus, i, *m*: leather bag

Cultus, us, *m*: worship, dress

Cumulus, i, *m*: heap, pile

Cuneus, i, *m*: wedge, body, wedge-like formation of troops

Curia, ae, *f*: court, household, council

Curialis, is, *m*: courtier

Dapifer, eri, *m*: butler

Decima, ae, *f*: tithe

Declino: to turn aside from

Decollo: to execute

Decoloro: to spoil, tarnish

Decresco, crevi, cretum: to diminish, grow smaller

Dedecus, oris, *n*: disgrace

Dedignor: to scorn

Defero, tuli, latum: to bring

Defigo, ixi, ictum: to fix, look hard at, astonish.

Dehonesto: to dishonour

Deliberatio, onis, *f*: disposal

Delibuo, ui, utum: to besmear, besmirch, anoint

Deliciae, arum, *f*: delight

Delictum, i, *n*: crime, wrong, transgression

Deludo, si, sum: to make fun of

Dementia, ae, *f*: madness

Demereor: to put under an obligation

Demum: at last

Denego: to refuse, deny

Denuo: again, once more

Depascor, sci, depastus: to feed on, consume

Depello, puli, pulsum: to thrust or throw down

Desero, ui, ertum: to leave behind, abandon

Desilio, ui, ultum: to jump down

Detentus: from 'detineo'—detain, delay

Detrecto: to detract from

Detruncatio, onis, *f*: cutting off, removal

Devincio, inxi, inctum: to bind, put under an obligation

Devito: to avoid

Diadema, atis, *n*: crown

Dies, in: daily

Differo, distuli, dilatum: to delay, postpone

Diffido, fisus: to despair, be anxious about, distrust

Dignanter, courteously

Dignor: to consider one deserving of, or befitting oneself

Dilacero: to tear apart, hurt

Dilato: to enlarge, increase

Diligo, exi, ectum: to love, esteem highly

Diluculum, i, *n*: dawn

Dirimo, emi, emptum: to break up, settle
Diruo, ui, utum: to tear apart, scatter
Discidium, i, *n:* disagreement
Dispendium, i, *n:* loss, cost
Dissilio, ui: to break up, scatter
Dissolvo, solui, solutum: to answer, destroy
Ditio, onis, *f:* sway, power
Dito: to endow, enrich
Diutule (*or* **diutile**): for a short while
Diuturnus, a, um: long lengthy
Diversor: to linger, stay as a guest
Diverticulum, i, *n:* by-road
Duco, uxi, uctum: to consider, account, lead
Parvi duco: to think little of
Dudum: formerly, before, not long ago
Dummodo: so long as
Dumtaxat: only, as far as, as far as this matter is concerned

Eatenus : so far
(H)Ebdomada, ae, *f:* week
Ebrius, a, um: drunk
Ebullio: to bubble up, pour out from
Edisco, didici: to learn by heart
Efferus, a, um: wild, savage
Effraenis, e: unrestrained, headstrong
Eleemosyna, ae, *f:* alms
Elegans, tis: choice
Eluctor: to struggle free, out of
Ementior: to pretend
Emo, emi, emptum: (**magno**) to buy (at a high price)
Eminus: from a distance
Emungo, nxi, nctum: to cheat someone of something
Enervo: to weaken
Enixe: earnestly
Epotatus: drunk, consumed
Epulor: to have a feast
Eques, itis, *m:* knight, horseman
Erga: towards
Erigo, rexi, rectum: rouse, encourage
Erubesco: to blush for shame, be ashamed
Eructo: to cast forth, proclaim
Esuries, ei, *f:* hunger
Evagino: to unsheath
Evello, vulsi, vulsum: to tear out
Eventus, us, *m:* event
Exacuo, ui, utum: to incite, encourage
Exaestuo: to burn with
Examen, inis, *n:* swarm
Exardeo, si, sum: blaze forth, be inflamed
Excessus, us, *m:* deviation, aberration

Excipio, cepi, ceptum: to state, mention, record, await
Excresco, crevi, cretum: grow up, grow to, spring or rise up
Excubiae, arum, *f:* guard, watch
Exilis, e: meagre, low (price)
Eximo, emi, emptum: to remove, free
Exitium, i, *n:* destruction
Exorbito: to wander, deviate
Expedio: to be expedient, promote, relate, prepare, release
Expeditus, a, um: free, nimble
Experimentum, i, *n:* trial experience
Experior, ertus: to put to the test, contend with
Expers, tis: without, devoid of, free from
Expilo: to rob, plunder, pillage
Expleo, evi, etum: to appease, satisfy, complete
Expugnator, oris, *m:* conqueror, taker
Exquisitus: from **exquiro** to ask for, seek
Extemplo: immediately
Exterus, a, um: foreign
Extorqueo, si, tum: to take away by force, seize
Extorris, e: exiled, banished
Exubero: to be numerous or plentiful
Exuo, ui, utum: to strip off

Facetiae, arum, *f:* witticisms
Facies, ei, *f:* appearance, pretence
Falsarius, i, *m:* forger
Famulor: to serve, be in attendance on
Fastidio: to scorn, shrink from
Fastuosus, a, um: haughty, proud
Fastus, us, *m:* scorn, disdain
Fauces, ium, *f:* throat
Fautor, oris, *m:* supporter
Febris, is, *f:* fever
Fere: almost, about
Feria, ae, *f:* weekday, holiday
Fides, is, *f:* word, pledge, assurance
Figmentum, i, *n:* story, invention, fiction
Firma, ae, *f:* farm, estate
Ad firmam dare: to farm out
Firmarius: renter
Fiscus, i, *m:* treasury, revenues, privy purse
Flatus, us, *m:* blowing, gust
Foede: foully, cruelly
Foemen, inis, *n:* thigh
Fomes, itis, *m:* kindling, tinder
Foris: outside, in public
Formido, inis, *f:* fear, dread
Formido: to be afraid, to dread

Fossor, oris, *m*: digger, sapper, workman

Foveo, fovi, fotum: support, assist, encourage

Fremo, ui, itum: growl, howl, roar

Frendo: to gnash one's teeth in fury

Fultus, a, um (fulcio): supported, strengthened

Funda, ae, *f*: a sling

Fungor, fungi, functus: to perform, discharge

Furtum, i, *n*: trick, craft

Galea, ae, *f*: helmet

Ganea, ae, *f*: harlot

Gavisus, a, um: participle from **gaudeo**

Gelo: to freeze, grow cool

Gener, eris, *m*: son-in-law

Germanus, i, *m*: brother

Gigno, genui, genitum: to beget

Gilda, ae, *f*: tax

Gratia, ae, *f*: regard, liking, love

Gratificor: thank, praise

Gratus, a, um: pleasant, welcome

Gregarius, a, um: common

Haeres, edis, *c*: heir

Haurio, ausi, austum: to draw, consume

Hebes, etis, slow, dull

Herice, es, *f*: broom, heather

Hericius, i, *m*: hedgehog

Hice, haece, hoce, hicce *etc*: form of **hic, haec, hoc**

Hominium, i, *n*: homage

Homunculus, i, *m*: weak man

Hospitium, i, *n*: lodging

Hucusque: so far, hitherto

Iamdudum: for a long time

Idoneus, a, um: suitable, fit

Illectus, a, um: participle of **illicio**

Illicio, lexi, lectum: to entice, attract, lead astray

Illico: there, immediately

Illucesco, luxi: to get light, break (of dawn etc)

Illudo, si, sum: to jest, make fun

Imbecillo: to weaken

Immanitas, atis, *f*: immensity, fierceness, force

Immarcescibilis, e: unfading, undying

Immemor, oris: forgetful, heedless, regardless

Immergo, si, sum: to plunge or sink into

Immo: or rather, I should say

Impigre: quickly, actively

Impingo, egi, actum: to rush or strike at

Importune: violently

Impraesentiarum: now, for the present, in the present circumstances

Imputo: to attribute

In regem: as king

In + acc: as . . .

Incassum: in vain

Incentor, oris, *m*: stirrer up of trouble

Inclino: to be well disposed towards, sink, draw to a close

Includo, si, sum: to imprison

Incoho: to begin

Incommodum, i, *n*: trouble, disadvantage, fault

Incompassive: heartlessly

Inconsulte: thoughtlessly, unwisely

Incrementum, i, *n*: growth, increase

Increpo, ui, itum: to chide, resound

Incubo, ui, itum: to gain possession of, take over

Incumbo, cubui, cubitum: to devote oneself to

Incurro, curri, cursum: to attack, assail, incur

Index, icis, *c*: sign, indication

Indico, dixi, dictum: to impose, inflict, declare

Indifferenter: indiscriminately

Indoles, is, *f*: nature, disposition, talents, qualities

Induciae, arum, *f*: truce

Indulgeo, ulsi, ultum: to grant, concede

Inedia, ae, *f*: lack of food

Inexauditus, a, um: unsuccessful, not gaining what one asks, unheard

Infandus, a, um: shocking, dreadful

Infarcio, si, sum: to stuff with

Infesto: to molest, attack

Infringo, egi, actum: to lessen, make light of

Ingenium, i, *n*: way of thinking, wit

Ingero, gessi, gestum: to bring, inflict, stir up, mention, repeat

Ingluvies, ei, *f*: gluttony

Inhio: to hope eagerly for, cast an eager eye upon

Inhonestus, a, um: unworthy unfitting, shameful

Injungo, nxi, nctum: to charge, inflict on, enjoin

Inimicus, a, um: hostile

Innecto, nexui, nectum: to bind, tie

Innitor, nisus: to rely on, support oneself on

Innodo: to tie up

Inopinato: unexpectedly

Inquiens: from **inquam**

Inquiro, sivi, situm: to enquire, ask

Insectatus, a, um: participle of **insecto**, pursued
Insero, serui, sertum: to mix, mingle
Insisto, stiti: to devote oneself to
Insolens, entis: unaccustomed, unused to
Instantia, ae. *f:* constancy, earnestness
In huius temporis instantia: just about this time
Instar, indec: like
Insudo: to sweat at, toil at
Insumo, mpsi, mptum: to exhaust
Integro, ex . . . : anew, afresh
Intendo, di, tum: to aim for, make for
Intentio, onis, *f:* purpose, application, tension
Interitus, us, *m:* destruction, annihilation
Interpolo: to change, spoil, interpose
Intersum, interest: to concern, be of importance to
Intrinsecus: inwardly
Inuro, ussi, ustum: to brand
Invado, si, sum: to take possession, usurp, attack
Invicem: in turn, alternately
Invideo, di, sum: to grudge, deny
Irretio, ivi, itum: to entangle in, to bind
Irritus, a, um: void, invalid, of no effect
Itero: to repeat

Jactito: to declare, boast
Jactura, ae, *f:* detriment, cost
Jejunium, i, *n:* a fast
Jugiter: perpetually
Jusjurandum, jurisjurandi, *n:* oath
Justus, a, um: (of stature) medium
Juxta: near, alike, likewise

Lac, tis, *n:* milk
Lacertus, i, *m:* the upper arm
Lacteolus, a, um: milky white
Laedo, si, sum: to harm, trouble, afflict
Lambo, lambi, itum: to lick, lap, touch
Lampas, adis, *f:* a light
Lanx, cis, *f:* scale, balance
Laqueus, i, *m:* noose
Largior: to give, bestow
Largitas, atis, *f:* liberality
Latebra, ae, *f:* hiding place, refuge
Lateo, ui: to be unknown to
Latibulum, i, *n:* refuge
Latrocinium, i, *n:* robbery, villainy
Latus, eris, *n:* side, flank
Laxe: unrestrictedly, freely

Libenter: gladly
Licet: although
Lignum, i, *n:* staff, club
Lino, livi, litum: to smear, cover with
Liquefacio: dissolve, weaken
Liquido: clearly
Lis, litis, *f:* dispute
Litigo: dispute, quarrel, inveigh
Lituus, i, *m:* clarion, trumpet
Livor, oris, *m:* envy, spite, malice
Loco: to appoint
Locuples, etis: rich
Longanimis, e: long suffering, patient
Lorica, ae, *f:* chain mail
Lucrum, i, *n:* profit, wealth, avarice
Luctus, us, *m:* grief
Ludibundus, a, um: jesting, playful
Luo, lui: to pay (penalty etc), suffer, undergo
Lustrum, i, *n:* lair

Macero: to torture
Machinor: to devise, scheme, plot
Mactus, a, um: honoured, revered
Maculo: to stain, defile
Madeo: to be steeped in, wet with
Malignantes, ium: the ill disposed, malicious
Malus, i, *m:* mast
Mancipo: to subject to
Manus, us, *f:* company, band
Mansuetudo, inis, *f:* clemency, gentleness
Marchio, nis, *m:* marquis
Maturo: to hurry, hasten
Mando: to send word to, to summon
Medietas, atis, *f:* half
Memoratus, a, um: renowned
Mensura, ae, *f:* measure
Mercimonium, i, *n:* wares, goods
Mercor: to buy, purchase, trade
Meretrix, icis, *f:* prostitute, harlot
filius meretricis: son of a bitch
Merito: justly
Meta, ae, *f:* boundary, limit
Metor: to lay out, pitch (camp)
Militia, ae, *f:* (force of) soldiers
Misertus, a, um: participle from **misereor**
Missa, ae, *f:* mass
Moderor: to rule, govern, restrain
Modicus, a, um: small
Modus, i, *m:* limit
Moles, is, *f:* task, trouble, labour
Molior: to set in motion, to strive to
Mollities, ei, *f:* softness, weakness
Monachus, i, *m:* monk
Monstrum, i, *n:* evil omen, portent
Moram nectere: to delay, linger

Mordicus: with the teeth
Motus, us, *m*: impulse, passion, rising, tumult
Mucro, onis, *m*: sword
Mulcta, ae, *f*: fine
Multo: to punish, sentence to
Munero: to bestow, reward with
Municipium, i, *n*: castle, stronghold
Munimen, inis, *n*: fortification
Musca, ae, *f*: fly
Mussitatio, onis, *f*: muttering, grumbling
Mussito: murmur
Mutuor: to borrow

Naufragium, i, *n*: shipwreck
Navem solvere: to set sail
Nebula, ae, *f*: mist, cloud
Nebulo, onis, *m*: rascal, wretch
Necdum: not yet
Nequeo, ivi, itum: to be unable to
Nervos, i, *m*: sinew, bowstring
Nexus, us, *m*: tying together, binding
Nihili pendere: to think nothing of
Nimirum: certainly, surely, doubtless
Nitor, nisus (nixus): to strive, endeavour, advance
Noto: to mark, brand
Noverca, ae, *f*: stepmother
Noxius, a, um: criminal, guilty
Nugae, arum, *f*: trifles, nonsense
Numero: to reckon, have, possess
Numularius, i, *m*: money broker
Nummus, i, *m*: coin
Nundinor: to purchase
Nutus, us, *m*: nod, sign, will, pleasure

Obfusco: to obscure, degrade
Obitus, us, *m*: death
Obliviscor, oblitus + *gen*: to forget
Obnixe: strenuously, vigorously
Obsequium, i, *n*: service, obedience
Obsum, obfui: to hinder
Obsonium, i, *n*: food, viands
Obsto, stiti, atum: to prevent, hinder
Obstringo, inxi, ictum: to bind, put under an obligation
Obtempero: to obey
Obunco: beckon to
Obviam habere: to come across, find in one's way
Obvius, a, um: in the way, common
Occulo, lui, ultum: to conceal, cover
Occumbo, cubui, cubitum: to die, fall
Occursus, us, *m*: meeting
Ocrea, aef: greave, legging (leg armour)
Offendo, di, sum: to dash or strike against, to come upon, offend
Officina, ae, *f*: workshop

Omnino: altogether, entirely, only
Onustus, a, um: laden
Operio, ui, ertum: to cover
Op(p)erior, operitus: to wait for
Oppeto, ui, itum (mortem): to perish, die
Opprobrio esse: to be a disgrace, reproach
Optimates, um, *c*: the nobility
Ostium, i, *n*: door

Paciscor, pactus: to bargain
Pacto (*abl*, pactum): way, means
Pactum, n: agreement, contract
Palma, ae, *f*: victory, preference, prize
Paluster, tris, tre: marshy
Pando, di, sum: to unfurl
Paries, etis, *m*: wall
Parilitas, atis, *f*: equality
Pars, partis, *f*: party, faction
Parturio: conceive, imagine, produce
Passim: at random, indiscriminately, everywhere
Patibulum, i, *n*: gibbet
Patrius, a, um: ancient, traditional
Patro: commit (crime), perform
Patrocinium, i, *n*: patronage, protection
Pendulus, a, um: dependent
Penitus: deeply, within
Pensio, onis, *f*: payment, interest, tax
Pensum, i, *n*: thread (of the Fates)
Pera, ae, *f*: wallet, bag
Perculsus, a, um (*from* percello): upset, horrified, concerned
Percussor, oris, *m*: murderer
Peregrinus, i, *m*: pilgrim
Peremptor, oris, *m*: murderer
Perfodio, odi ossum: to pierce, transfix
Perhibeo: to say, assert, call, name
Periclitor: to endanger
Perimo, emi, emptum: to kill, slaughter
Peritia, ae, *f*: skill, experience
Perlitor, oris, *m*: devastator
Perlustro: to survey
Pernicies, ei, *f*: ruin, death
Perniciter: swiftly
Perpendo, di, sum: to consider
Perperam: wrongly, falsely, treacherously
Perrarus, a, um: very few
Perscrutor: to investigate
Perstringo, nxi, nctum: to mention briefly, look at
Pertranseo, ivi, itum: to pass by
Pervicacia, ae, *f*: firmness, obstinacy
Phlebotomus, i, *m*: surgeon
Pigmentatus, a, um: red (of wine)

Pigneror: to bind to one, make one's own
Pigritia, ae, *f*: laziness, indolence
Placitum is, *n*: plea
Plango, nxi, anctum: to lament, bewail
Platea, ae, *f*: street
Poculum, i, *n*: goblet, drink
Pollens, tis: able
Polliceor: promise
Porro: thereafter, next
Potio, onis, *f*: a draught (poisonous)
Potus, us, *m*: drink
Praecaveo, cavi, cautum: to guard against, take precautions
Praecipuus, a, um: special, particular
Praeco, onis, *m*: herald
Praeconium, i, *n*: praise, commendation
Praecluis, e: very well known, of high renown
Praefigo, ixi, ixum: to mark, set before
Praefor, praefatus: to say before
Praelibo: to examine, look at, foretaste
Praemissum (ut p . . . est): mentioned earlier
Praepositus, i, *m*: overseer, governor, etc
Praestolor: to wait for, expect
Praesul, ulis, *m*: bishop
Praesumo, umpsi, umptum: to presume, undertake
Praetendo, di tum: to set out, station, proffer
Praetergredior, gressus: to pass by
Praevius, a, um: leading, exemplary
Prandium, i, *n*: breakfast
Presbyter, eri, *m*: an elder
Pretium effringo: to bargain, knock down the price
Primaevus, a, um: young
Prioratus, us, *m*: priory
Proceres, erum, *m*: leading men, nobles
Proclivis, e: inclined, willing
Prudens, entis: shrewd
Profecto: certainly, indeed
Profugus, a, um: receding
Promereor: to gain, win (a chance to)
Promoveo: to promote, appoint
Promptu (in p . . . habere): to have ready
Propello, puli, pulsum: to ward off, overthrow
Propense: willingly, readily
Propere: quickly, speedily
Pro posse: as much as possible
Prorogo: to advance (money)

Prorsus: completely, utterly
Proscindo, scidi, scissum: to censure, tear apart
Prospere: successfully, with good fortune
Protendo, di, sum: to swell, extend
Protero, trivi, tritum: to crush, drive off
Protestor: to testify
Proventus, us, *m*: issue, result
Pudicitia, ae, *f*: virtue, chastity
Pullulo: to spread, grow, increase
Pullus, a, um: young; a foal
Pulsus, us, *m*: beat, hoof-beat
Puppis, is, *f*: a ship, poop
Purgo: to excuse, clear (of a charge)
Pusillanimis, e: faint hearted, timid
Pusillus, a, um: tiny, small
Pusio, onis, *m*: a small boy, lad

Quamplures, ia: very many
Quandoque: at some time
Quandoquidem: since, seeing that
Quanti: for how much, what price, at the price that
Quantocius: as soon as possible, the sooner the better
Quaquaversum: in all directions
Quatinus: so that
Quatio, quassum: to shake, make tremble
Quies, etis, *f*: rest, sleep

Radius, i, *m*: ray, beam, jet
Raptor, oris, *m*: robber, ravisher
Receptaculum, i, *n*: refuge, retreat
Redigo, egi, actum: to reduce
Reditus, us, *m*: revenue, income
Redoleo: to smell of
Remex, igis, *m*: oarsman
Renideo, ere: to smile, laugh
Repentinus, a, um: sudden, unexpected
Rependo: to repay, return
Requiro, sivi, situm: to seek
Resipisco, ivi: to recover, come to one's senses
Resolvo: to end
Retinaculum, i, *n*: cable, hawser
Retorqueo, torsi, tortum: to turn back
Retro: behind, backwards
Revera: in fact, really
Reverbero: to strike back, rebut
Reus, i, *m*: defendant, accused, culprit
Rheda, ae, *f*: four-wheeled wagon
Rite: duly, justly, rightly
Ritus, us, *m*: rite, custom, habit
Rixa, ae, *f*: brawl, quarrel
Roboro: strengthen

Robur, oris, *n*: strength
Roncatio, onis, *f*: snoring
Ruga, ae, *f*: wrinkle, frown

Sacramentum, i, *n*: oath of allegiance
Saecularis, e: secular, worldly
Saeculum, i, *n*: the world
Saepio, psi, tum: to cover, enclose, surround
Sagino: to fatten, feed, have one's fill
Sal, salis, *m*: witticism
Saltus, us, *m*: woodland
Sanctimonalis, is, *f*: nun
Satago: to be busy, make a to-do
Satis habere: to have one's hands full
Scapha, ae, *f*: a small boat, skiff
Sciscitor: to ask, enquire
Scyra, ae, *f*: shire
Securis, is, *f*: an axe
Securitas, atis, *f*: composure, lack of concern
Seditio, onis, *f*: uproar, quarrel
Sedo: to quiet, calm
Semiustulo: to half burn
Sensim: openly, slowly
Sepelio, pelivi, pultum: to bury
Serpo, psi, ptum: to creep, crawl, squirm
Sigilla, orum, *n*: seal
Singultus, us, *m*: sobbing
Sinistra conversio: turning to the left
Sinuo: to bend, stretch
Sitis, is, *f*: thirst
Solidus, i, *m*: shilling
Solitudo, inis, *f*: destitution, abandonment
Solium, i, *n*: throne
Sollennis, e: customary, established
Sonipes, edis, *m*: steed, horse
Sopio, ivi, vtum: to calm, still
Sortior: to cast lots, choose, obtain
Sparsim: here and there
Species, ei, *f*: sight, appearance, splendour
Specimen, inis, *n*: sign, mark, ideal, example
Spectabilis, e: remarkable, admirable
Speculator, oris, *m*: lookout
Speculum, i, *n*: mirror
Spiculum, i, *n*: arrow, spearhead
Spondeo, spopondi, sponsum: to promise, pledge
Sponsa, ae, *f*: bride, fiancée
Spurcitia, ae, *f*: filth, dirt
Sterno, stravi, stratum: to scatter, cut down
Stilus, i, *m*: pen
Stipatus, a, um: accompanied by
Strages, is, *f*: slaughter
Stridor, oris, *m*: noise, whistling, creaking, etc

Sublevo: to support, help, assist
Subruo, ui, utum: to demolish
Succendo, di, sum: to inflame
Succresco, ere: to spring, grow up
Suffraganius, i. *m*: supporter
Suffragor: to support, help
Suggero, gessi, gestum: to supply, remind
Sulco: to sail over
Sullime, in: aloft
Summas, atis, *c*: a noble, eminent man
Suppedito: to be at hand, in abundance
Supersedeo, sedi, sessum: to refrain from
Sustento: to support, maintain

Tabesco, bui: to be consumed wtih envy
Tabidus, a, um: corrupting, foul, unhealthy
Teloneum, i, *n*: tax, toll
Tento: to sound out, test, tempt
Tenuis, e: unornate, poor
Tenuitas, atis, *f*: poverty
Tenus (nomine tenus): nominally, in name (only)
Terebro: shoot
Tergiversor: to be evasive, change sides or opinions
Thalamus, i, *m*: bedroom, marriage
Thesaurum, i, *m*: treasure
Thorax, acis, *m*: armour, breastplate
Thorosus, a. um: muscular
Tollo, sustuli, sublatum: to remove
Torvus, a, um: grim, fierce
Tracticius, a, um: drawn, contracted
Traho, axi, actum: to draw, attract
Trames, itis, *m*: path, way
Transigo, egi, actum: to carry through, accomplish
Tribulus, i, *m*: thistle
Triclinium, i, *n*: dining room, couch
Trucido: to slaughter, kill
Trudo, si, sum: to put, thrust
Tueor: to maintain, protect, watch over
Tugurium, i, *n*: hut, cottage
Tumidus, a, um: haughty, arrogant
Tumulo: to bury
Turris, is, *f*: tower, castle
Tutela, ae, *f*: care, protection
Tutor, oris, *m*: protector
Tyrannis. idis, *f*: despotic or tyrannical behaviour

Ubertim: copiously, freely
Ullatenus: in any way, whatever
Ulna, ae, *f*: an ell (measure of length)
Ultroneus, a, um: voluntary, of one's own accord

Umbo, onis, *m*: shield
Una: at the same time, together with
Ungula, ae, *f*: hoof
Usus, us, *m*: habit, custom
Utique: undoubtedly, without fail, at any rate

Vadum, **i,** *n*: a ford
Vae!: alas
Valde: very (much), eagerly, earnestly
Valeo: to be strong (enough to), to be capable of
Validus, a, um: strong, robust, able
Vas, vadis, *m*: security
Vaticinium, i, *n*: prophecy
Vaticinor: to foretell, prophesy
Vector, oris, *n*: horse
Velle, pro: as he wished, according to one's wish
Velifer, era, erum: sail-bearing
Velificor: to sail
Vellico: to steal, make inroads into
Vendico: to appropriate, lay claim to
Venia, ae, *f*: pardon
Venus, us, *m*: sale
Venustas, atis, *f*: grace, charm, elegance
Verecundia, ae, *f*: shame, modesty
Vergo, ere: to turn, bend

Vermis, is, *m*: worm
Verro, verri, versum: to sweep up, toss
Versutia, ae *f*: cunning, ingenuity
Versutus, a, um: shrewd, clever
Vesanus, a, um: insane, mad
Vestigio, e vestigio: instantly, forthwith
Vetulus, a, um: old
Vexillum, i, *n*: standard, banner
Vicis, is, *f*: duty, place, return, retaliation
Vicus, i, *m*: village, hamlet
Videlicet: of course, obviously, namely
Vigeo, ere: to thrive, flourish
Vigilia, ae, *f*: feast, holy day
Vilis, e: cheap
Vindicta, ae, *f*: vengeance
Virga, ae, *f*: staff
Virtus, utis, *f*: (military) force, courage, virtue
Viscera, um, *n*: entrails, heart, bowels
Vola, ae, *f*: palm (of the hands)
Voveo, vovi, votum: to vow
Vulgo: generally, commonly

Werra, ae, *f*: war